コリシの言葉

南ア代表 黒人初の主将、ワンチームの魂

石原 孝
Ishihara Takashi
朝日新聞国際報道部記者

さくら舎

はじめに――虹の国のラグビー

ただの、にわかファンの一人にすぎない。それなのに、2019年に日本で初めて開催されたラグビーワールドカップの記憶がいまも鮮明に残っている。新型コロナウイルスが世界各国で猛威を振るう少し前、各地のスタジアムに国内外から大勢の観衆が詰めかけ、熱狂のうちに幕を閉じた。

この大会で栄冠をつかんだのは、アフリカ大陸最南端にある南アフリカだった。快進撃を続けた日本代表を準々決勝で破り、決勝戦でもイングランド相手に堅守と2つのトライを決めて勝利をたぐり寄せた一戦を覚えている方も多いだろう。

そんな代表チームで、黒人として初めて主将に選ばれ、ひときわ注目を集めた選手がいた。

シヤ・コリシ。

チームが優勝を決めた時、彼のインタビューは国民の心を揺さぶった。

「南アフリカはいま、本当に多くの問題を抱えている。それでも、それぞれ異なる背景や人種からなるチームが（優勝という）ゴールを目指して一つになれた。我々は一つにまとまれば、何だって成し遂げられるんだ」

この国はかつて、アパルトヘイトと呼ばれる人種隔離政策によって、白人や黒人といった人種の違いがことさらに強調され、差別的な政策が法律で制度化された時代があった。時の白人政権が差別を肯定し、少数派の白人が土地の大半を所有した。

白人にさげすまれた黒人たちは、選挙で投票する権利ももらえなかった。抵抗すれば逮捕され、拷問（ごうもん）を受けた。異なる人種間の恋愛や結婚も禁止された。白人たちが好んだラグビーというスポーツは、「圧政の象徴」として黒人たちから嫌われた。

いまから30年ほど前、その制度は終わりを迎えた。人種や民族に関係なく、皆が平等で豊かで、平和な社会を目指す――。そんな壮大な夢を持った国造りが始まった。黒人として初めての大統領に選ばれたネルソン・マンデラは、多様な人々が暮らすこの国を「レインボー・ネーション（虹の国）」と称し、ラグビーを国民の分断ではなく、団結の象徴に変えようとした。

だけど、現実は時に残酷でもある。

アフリカ有数の経済大国であり、アフリカ大陸で唯一の主要20ヵ国・地域（G20）の加盟国にまでなったものの、アパルトヘイト政策の名残で、いまでも国内の土地の7割超を全人口の1割にも満たない白人が握り、白人と黒人の格差は根強く残っている。

一向に解消されない貧困、世界でも有数の治安の悪さ、さらには国営企業のずさんな経営によって計画停電も多発している。国内の失業率にいたっては30％近くに上る。

ニュース放送を見れば、幼い女児がレイプされた、強盗目的の殺人事件が発生した、政治家の汚職が発覚したなどと、暗いニュースばかりが目立つ。人種差別をあおるような言動や行為が報じられることもある。アパルトヘイトの撤廃で期待感が大きかった社会の空気は一変し、別のトンネルに入りこんでしまったようにも思える。

コリシは、アパルトヘイト政策の主要な法律が廃止された1991年、南部の街の家庭に生まれた。経済的に貧しい環境で育ち、周囲には夢すら持てず、犯罪に手を染める者もいた。そんな状況でも努力を重ねてきた彼の半生と代表チームのワールドカップでの栄冠は、アパルトヘイト撤廃を求め、ラグビーを通じて人種の融和（ゆうわ）を求めたマンデラの姿とどこか重なり、この国において一筋の希望の光にも見えた。

彼が現役生活を退いた後にどういった道を歩むのかは分からない。過度に期待しすぎるのは酷だろうし、時期尚早でもある。ただ、世界各国で分断や格差といった問題が続くいまだからこそ、「よりよい社会にしたい」と願うコリシの思いを少しでも伝えたいと思った。

この本を通して、多くの日本人も魅了したラグビーの魅力、そして彼の言葉の背景にある南アフリカという国の歴史や現状を少しでも知ってもらえたら望外の喜びです。

ジンバブエ
ボツワナ
モザンビーク
プレトリア
ヨハネスブルク
ナミビア
エスワティニ
レソト
南アフリカ
ダーバン
インド洋
大西洋
ズウィデ
ケープタウン
ポートエリザベス

◎目次

第3章　世界一治安が悪い国？

第4章　なぜコロナだけなのか？

第5章　コリシ、魂を語る

コリシの言葉

南ア代表黒人初の主将、ワンチームの魂

第1章　歓喜の瞬間に横たわる現実

コリシの故郷で見た決勝戦

まばゆい照明に照らされたスタジアムで、7万人の大観衆が緑色のピッチ上に視線を送る。その先には、2つの国を代表する30人の屈強な選手たちが楕円形(だえんけい)の球をめぐって駆けていた。

「クラウチ、バインド、セット!」

レフェリーのスクラムのコールが響く。選手たちが組み合い、歯を食いしばる。前に圧力をかけ、時に横に行くそぶりも見せる。体格や力だけが決め手ではない。味方との一体感、さらには腰や膝の角度といった数センチ単位のズレですら、時に勝負を左右する。相手との駆け引きを繰り広げた南アフリカ代表のフォワード陣が、イングランドの選手たちを徐々に後ずさりさせていく。

2019年11月2日、日本で初めて開かれたラグビーワールドカップの決勝戦が行われた。舞台となった横浜国際総合競技場は、日本らしい和太鼓の音が選手や観客の興奮をかき立てた。

緑色のジャージーを身にまとったスプリングボクス(南アフリカラグビー代表の愛称)は、

３度目の優勝を目指してイングランド代表との試合に臨んだ。チーム１２７年の歴史の中で黒人として初の主将に選ばれたシヤ・コリシは、選手たちの先頭に立って入場してきた。

　そこから約１万４０００キロ離れた南アフリカの都市ポートエリザベス近郊の街ズウィデで、私は決勝戦の中継を見守っていた。アパルトヘイト政策がとられた時代に黒人専用の居住区に指定されたタウンシップだ。

　観光客にも人気の海水浴場やリゾートホテルが並ぶ地区とは違って、トタン屋根とれんがで造られた民家が軒を並べ、外にはポリ袋が至るところに散乱していた。お世辞にもきれいな街並みとは言えなかった。

　決勝戦のパブリックビューイングが開かれた手狭なグラウンドには、強風で時折、砂埃が舞っていた。試合開始の直前に集まってきた地元の住民たちの中には、定職に就けない人も多い。南アフリカ代表チームのジャージーを買えるような裕福な人はほとんどいない。

　無料でもらった国旗を振る大人、砂がついたままのＴシャツに、すり切れたズボン、そして履きつぶしたサンダル姿の子どもたちの姿が目立った。午前中にもかかわらず、酒に酔って目の焦点が合っていない男性もいた。

詰めかけた住民

南アフリカ代表の主将を務めるコリシは、この街の出身だ。私がこの場所を訪れたのは、彼がここからどうやって代表の主将になるまでに成長したのかを知りたいと思ったからだ。

試合前の予想では、「数百人くらい集まればいいか」と思っていたが、甘かった。

会場にはあっという間に2000人もの住民が詰めかけた。それも黒人だらけ。白人の姿は、スポンサー企業の関係者と思われる2~3人しかいない。アジア系にいたっては私だけだった。最大都市ヨハネスブルクのパブリックビューイング会場で準々決勝の日本戦を取材した時には、白人が7割ほど占めていただけに、一つの国とは思えないほどの違いだった。

試合開始前、両チームの国歌斉唱(せいしょう)が始まった。口をこれでもかと大きく開けて、母国の国歌を歌い上げるコリシが映し出された。国歌の途中で明らかに曲調が変わる。黒人たちがアパルトヘイト撤廃を求める中で歌った賛美歌「神よ、アフリカに祝福を」から始まり、40年以上にわたってアパルトヘイト政策を推し進めた白人政権時代の国歌「南アフリカの呼び声」が続くのだ。

黒人初の大統領に就いたネルソン・マンデラが南アフリカを「虹の国」と称したように、多人種であり、11の公用語を持つ国を象徴して、コーサ語、ズールー語、ソト語、アフリカーンス語、そして英語の５言語で歌い上げる。

日本時間の午後６時、南アフリカで午前11時。イングランドとの決勝戦は始まった。少し前までお互いに他愛もない話で盛り上がっていた住民たちも、スクリーンに映る中継の様子に釘付け（くぎづ）けになった。

試合は、両者ペナルティーゴールで得点を奪い合う緊迫した展開になった。

前半30分過ぎ。６—３で南アフリカがリードする中、イングランドが攻勢をかける。ゴールラインまで１メートルを切った。なおも相手ボールの中、頭にテーピングを巻いていたコリシは腰を大きく曲げ、突進してくる相手選手に思い切り体をぶつけた。

「がんばれ！」

スクリーンに大きく映し出された地元出身のスター選手に、住民たちから声援が飛ぶ。トライを防ぐと、大きな歓声と拍手がわき起こった。

頭上に掲げたトロフィー

コリシは毎試合のように得点を決めるような華（はな）やかな選手ではない。ただ、チームメートに声をかけ続け、自分より体格で上回る相手にもひるまずにタックルする勇気、そして、倒されてもすぐに立ち上がる姿が、故郷の人々の心を奮い立たせていた。

後半25分、南アフリカのマカゾレ・マピンピが左サイドから突破し、この試合初めてとなるトライを決めると、住民たちは抱き合い、雄叫（おたけ）びをあげ、拳（こぶし）を突き上げた。点差を10ポイント以上に広げ、優勝を確信したからだけではない。彼らの多くは、マピンピが自分たちと同じ東ケープ州の出身で、幼い頃に10キロの道のりを歩いて学校に通うなど、経済的に貧しい家庭で育ったと知っていた。南アフリカ代表にとって、過去の大会も含めたワールドカップ決勝戦で初めて奪ったトライでもあった。

8分後、右サイドでボールを持ったチェスリン・コルビが緩急（かんきゅう）をつけて相手をかわし、試合を決定づけるトライを奪うと、もうお祭り騒ぎだった。途中交代でピッチを後にしていたコリシも、ベンチを飛び出し、跳びはねて喜びを爆発させた。

ノーサイドの笛が鳴らされると、故郷の人々は「シヤ！」「シヤ！」と連呼し、手をた

決勝戦でコリシの写真を掲げて喜ぶファン（著者撮影）

たきながら独特のリズムで体をくねらせる踊りを見せた。どこかで見たような光景――。すぐに、映画「インビクタス／負けざる者たち」で、１９９５年に南アフリカ代表がラグビーワールドカップで初優勝を果たした時に、国民が街頭に飛び出して喜ぶシーンだと気づいた。

もともと、南アフリカでラグビーと言えば、アパルトヘイト政策を推し進めた白人が熱狂するスポーツだった。黒人からは嫌われ、国際試合では対戦国を応援する人もいるほどだった。代表チームは１９８７年、91年の過去２回のワールドカップでは、アパルトヘイト政策に抗議する国際社会の反発を受けて出場すらできなかった。

そんな状況を変えようとしたのが、アパルトヘイト廃絶のために人生を捧げ、27年にも及ぶ獄中生活を経験したマンデラだった。94年に全人種が参加する初めての総選挙後に大統領に就任すると、スプリングボクスを「Our Boys」と呼んで応援。自国開催で初めて出場するワールドカップを機に人種の融和(ゆうわ)と国民の団結を呼びかけた。だが、当時の代表チームは、「ワンチーム、ワンカントリー」を掲げたものの、白人以外の選手はチェスター・ウィリアムズ一人だけだった。

それから24年後。日本で開かれたワールドカップでは、白人以外の選手は10人以上と大幅に増えた。表彰台の中心には黒人の主将。優勝トロフィーが渡される瞬間、住民たちは一斉に踊りや歌をやめ、スクリーンに見入った。自分たちと同じ場所で生まれ育った選手が、栄冠を授かる瞬間は特別なものだったに違いない。

奇しくも、コリシの背番号は、95年大会の時にマンデラがつけていたのと同じ６番だった。運命とも思えるような偶然。受け取ったトロフィーをコリシが頭上に掲げると、静寂は歓喜に包まれた。

素質を見抜いた恩師の支え

優勝の喜びに浸る住民の中に、涙が頬を伝う男性がいた。地元のラグビーチーム「アフリカンボンバーズ」で幼少期のコリシを指導したエリック・ソングウィーキだ。

経済的に貧しかった父母のもとに生まれ、祖母に育てられたコリシは、電気代を払えず、暗闇の中で眠りにつく日々を送った。学校の宿題は街頭の灯火を頼りにやっていた。そんな彼を魅了したのが、楕円形の球を追いかけるラグビーだった。

小学生の時、近所のグラウンドでアフリカンボンバーズが練習しているのを見て興味を持ち、チームに加わったのだ。

食事を満足に取れず、体の線は細かったが、他の子どもたちと一緒にグラウンドを走り回るのは何よりも楽しかった。近所の小学校の教員もしていたソングウィーキは、彼の家庭の困窮具合を知り、練習用の靴を与えたり、彼を支えようと自分の学校に転入するよう手配したりした。

「幼い時の彼は、他の子に比べて体格は恵まれていなかった。ただ、いつも活発で、真面目に練習に取り組み、どんどんうまくなっていった」

素質を見抜いたソングウィーキのすすめもあり、コリシは12歳の時に白人の生徒が多く通う名門校にスカウトされた。奨学金をもらい、寮生活で日々の食事にも困らなくなった。高校でもラグビーを続け、卒業後はプロ選手として活躍。２０１３年には代表チームでデビュー、その5年後には黒人初の代表チームの主将にまでなった。

プロになってからも故郷をたびたび訪れてチームの練習に付き合い、貧困家庭への支援活動も続けてくれた。

ソングウィーキは教え子の成長した姿に目を細め、喜びをかみしめた。

「(コリシは）息子のような存在。彼を誇りに思う。本当に、本当に幸せだ」

次の世代の子どもたちにとっても、コリシはあこがれの存在になっていた。アフリカンボンバーズでプレーするバトベル・セカニ（14）は「（コリシと）同じ場所に生まれたことがうれしい。将来は彼のように代表選手になりたい」と笑みを見せた。

優勝後のインタビューで、コリシは「いまの気持ちは？」と問われ、こう答えた。

「応援してくれた国民に感謝している。母国はいま本当に多くの問題を抱えている。それでも、それぞれ違う背景を持ち、異なる人種からなるチームが（優勝という）ゴールを目指して一つになれた」「監督は前回の試合の後、私たちがプレーするのはもはや私たち自身のためではなく、母国の人々のためだと言った。そのことを今日、見せたかった。応援してくれた皆さんに感謝している。タベルンやシェビーン（いずれも居酒屋）にいる人、ホームレスの人、地方にいる人、すべての人に感謝しているし、南アフリカを愛している。私たちは一つにまとまれば、何だって成し遂げられるんだ」

インタビューの最後で、コリシはこうも言った。

「日本の皆さん、イングランドから応援に来てくれた人、ラグビーというスポーツを応援してくれていること、そして、私たちがここに来られたことに感謝している。（日本語で）ありがとうございます」

記者会見で訴えたこと

代表チームは決勝戦の3日後、最大都市ヨハネスブルク近郊にある国際空港に凱旋し、数千人のファンの出迎えを受けた。記者会見に臨んだコリシは、「国民の支えがなければ優勝できなかった。皆さんが力を与えてくれた」と感謝した。「私たちは多くの困難を経験してきたが、団結した時には乗り越える方法をいつも見つけてきた」と述べ、社会的な問題に立ち向かうことの大切さも訴えた。

子どもたちへのメッセージを求められると、はっきりとした口調でこう述べた。

「子どもたちは（貧困などで）大変な状況にあるが、チャンスさえあれば何だって乗り切れると思う。私も幼い時は、チャンスがいつ来てもいいように毎日のように練習に励み、奨学金をもらうことができた。最も大事なのは、『お前には無理だ』と言う人の言葉を聞かないことだ。夢を持ち続けること、信じ続けること、そして前に進み続けてほしい」

国際大会の優勝インタビューで、ホームレスの人や相手チームのファンにまで言及するスポーツ選手はめったにいないだろう。周囲の人への気配りはもちろん、子どもたちの模範としても、代表チームでプレーする自分の役割を懸命に務めようとしているように感じ

プレトリアでの2019ラグビーワールドカップ優勝パレード（レフロゴノロ・モコテディ撮影）

た。

「白人のスポーツ」と揶揄されてきたラグビーの代表チームを黒人の主将が率いて優勝を成し遂げたことについて、1995年大会で主将だったフランソワ・ピナールは、「初めて優勝を果たした95年大会よりも大きな意味のあるものだった」とたたえた。

スポーツは世界を変える力があると信じたマンデラも、生前こう言っていた。

「スポーツは、かつて絶望しかなかったところに希望を生み出すことができる。人種間に立ちはだかる壁を打ち砕くにあたっては、政府よりパワフルだ。ありとあらゆる種類の差別をものともせず、笑い飛ばすのだから」

11月7日から国内各地で実施された優勝パレードには、白人、黒人といった人種に関係なく、大勢のファンが沿道に集まった。かつてマンデラがラグビーを通して国民の融和や団結を訴えたように、コリシの言葉はしっかりと人々の心に響いたのだろう。

優勝パレードに駆けつけた会社員カラボ・マブザ（50）は、自らを鼓舞するように力強く言った。

「1995年に優勝した時は、アパルトヘイト時代が終わり、マンデラが大統領になり、国がよい方向に変わろうとする期待感に包まれていた。だけど、いまは違う。国の経済が低迷し、女性はレイプされ、幼い子どもたちが殺されることもある。そんないまだからこそ、私たちを勇気づけ、奮い立たせるものが必要だったんだ」

第2章　重い扉は開いたが……

植民地と差別の歴史

「母国は多くの問題を抱えている」と話したシヤ・コリシの言葉の裏には何があるのだろうか。格差や失業率の高止まり、治安の悪化、黒人同士の争いなど、南アフリカが抱える問題を理解しようとすると、少数派の白人政権時代に導入されたアパルトヘイトという人種隔離政策を避けては通れない。

南アフリカの地にオランダの白人たちがやってきたのは17世紀。オランダ東インド会社が、ヨーロッパから船で喜望峰（きぼうほう）を回り、アジア各国との貿易を強化する中継地点として目を付けたのだ。南西部にある現在のケープタウン周辺を「ケープ植民地」として統治。ヨーロッパの気候に似ていたこともあり、オランダ以外にも宗教的な自由を求めてフランスやドイツから移住する人々がいた。

フランスで迫害を受けてこの地にやってきたユグノー教徒たちはワインの製造にも携（たずさ）わり、世界でも有名なワインの生産地へと成長するのに貢献した。

彼らの子孫はアフリカ人を意味するアフリカーナーと呼ばれるようになり、オランダ語が変化したアフリカーンス語を使うようになった。ところが、後から進出してきたイギリスが影響力を拡大させ、ケープ植民地を占領。１８１４年にはイギリス領として統治するようになり、アフリカーナーたちは内陸部への移住を余儀なくされた。

　その避難した周辺で、１８６７年にダイヤモンド、１８８６年に世界有数の金鉱脈が発見されると、南アフリカの重要性は飛躍的に高まった。いまのヨハネスブルクに労働者たちが大量に押し寄せ、イギリスとアフリカーナーたちは資源をめぐって争いを繰り広げた。１８９９年には両者による南アフリカ戦争が勃発。勝利を収めたイギリスは、１９１０年に南アフリカ連邦を成立させ、同じ白人のアフリカーナー勢力との協力体制に乗り出す。

　南アフリカ戦争によって農地が荒廃し、都市部に流入してきたアフリカーナーたちの貧困問題（プア・ホワイト）が大きくなり、職業支援を拡充。最低賃金や組合結成の権利を認めた。

　一方、同じく都市部に流入しようとしてきた原住民の黒人たちに対しては、「ホームランド」と称する国土の約13％のみを割り振る差別的な政策を実施し、広大な土地を白人たちのものにしようとした。

　都市に住んでいた黒人たちの居住地域も白人地域とは別の地区にするなど、人種ごとに分離させる政策を推進し、アフリカーナーたちの支援を優先させた。

だが、１９３２年のカーネギー委員会の報告書は、約１８０万人いた白人のうち、約30万人が貧困に窮し、その多くがアフリカーナーだったと指摘した。当時、白人人口の約３分の１だったイギリス系の住民が鉱業、製造業、金融など、国内経済の根幹を握っていたのに対し、約６割を占めていたアフリカーナーの主な職業は農場主や工場労働者、下級の公務員などが多く、収入格差が出ていた。

こうした状況下で、アフリカーナーたちから支持を受けた国民党は１９４８年にアパルトヘイト体制を確立する。この年の５月に実施された総選挙で、アフリカーンス語で「隔離（分離）」を意味するアパルトヘイトをスローガンに掲げ、第一党に躍進したのだ。

国民党政権は１９５０年、人口登録法を制定し南アフリカに住む人々についてヨーロッパ系の人を指す白人、主として混血の人々などの総称であるカラード、主にインド系のアジア人、そして原住民（黒人）の４つに分類。人種別に住む場所も指定した。国連がまとめた調査報告書「アパルトヘイト　その実体と国連の行動」によれば、１９６７年には、人種別の人口は、白人３５６万人、カラード１８６万人、アジア人56万人、原住民１２７５万人ほどと推定されていた。つまり、黒人が全国民の約７割を占めていたことになる。

政権は、この人種政策を４つの人種グループがそれぞれ発展（分離発展）していくための政策であると主張したが、少数派にすぎない白人が土地の大半を所有できるような制度が徹底され、それまで住んでいた土地を強制的に奪われた黒人たちも相次いだ。１９６０年から83年の間に、約３５０万人が「白人地区」などとして指定された場所から移動を余儀なくされたと言われている。

さらに、レストランやホテル、バスや電車、学校や公園、果ては海水浴場まで「白人専用」「ヨーロッパ人専用」とともに「非白人専用」「非ヨーロッパ人専用」の掲示が出されるようになった。

人種の分類は肌の見た目だけで認定されることもあり、白人の両親から生まれたのに肌の色が濃いという理由だけで「カラード」と認定されて差別を受ける側に回った子どもがいたり、人種が違うことを理由に別々の暮らしを余儀なくされたりした夫婦もいた。

アパルトヘイト政策の内実

黒人たちに選挙での投票権はなかった。外出する時には「パス」と呼ばれる身分証明書の所持が徹底され、地元ではレファレンスブックと呼ばれた。当時を知る住民は「名前や住所だけでなく、指紋や勤務先、雇用契約の記録、雇用者のサインも記載され、分厚いものだった」と振り返る。

パス法に違反したとして検挙された人は多い年で数十万人におよび、1960年3月には、反発する黒人たちに対して警察が発砲し、69人が殺害される事件も起きた。

国連の報告書は、アパルトヘイトの主要な政策の意図について、「熟練で報酬の良い職業を白人に確保し、アフリカ人労働者（黒人）を熟練度の低い、報酬の悪い仕事にしかつけないようにしておくことである」と指摘した。

鉱業における白人と原住民（黒人）の平均給与の割合は、約15対1で、製造業では5対1に上り、「人種差別のおかげで、南アフリカの白人たちは世界でも類を見ない最高の生活水準を享受している一方、非白人は、国民所得の公平な配分を拒否されている」「この国には豊富な経済資源があるにもかかわらず、貧困、栄養不良、病気が南アフリカの非白人の間に広がっている」と批判した。

人種差別は教育にもおよんだ。1953年当時、白人の子ども1人当たりの予算は約127ランドと推定されていたが、黒人の子どもだと約17ランドしかなかった。さらに、61年には、黒人の予算は約12ランドまで減らされていた。

国際人権会議は68年、「アパルトヘイトの政策あるいはその他の類似の悪は、国連の国際基準その他に照らして罰せられるべき人類に対する罪である」と宣言した。だが、南アフリカの白人政権は複数の国連機関から脱退するなど、強硬な姿勢を見せる一方で、61年、重要な貿易相手国になりつつあった日本人を「名誉白人」として別格扱いにした。

少なくない日本人が現地に駐在し、白人専用のレストランやホテルの使用も認められた。日本の自動車や家電製品を買い、鉱物資源を日本に輸出した。１９８０年代には一時、最大の貿易相手国になることもあった。

１９７０年に現地を取材で訪れた伊藤正孝（いとうまさたか）は著書『南ア共和国の内幕』（中公新書）で、ヨハネスブルク中央駅や近くのビルを訪れた印象についてこう記している。

「（中央駅は）白黒分離の巨大な標本である。西側に白人用の駅舎があり、ここは空港のロビーのようにすっきりと、広い。白人は自動車、あるいは飛行機で旅行するので、人影はほとんどない。東側にコンクリートむき出しの、なんの飾りもない非白人用の駅。夕方になると、黒人の通勤者で新宿駅なみの混雑である。それほどこちらの建物は狭い。駅の入り口には蒸したサツマイモ、トウモロコシの露店があり、終戦直後の日本をしのばせる」

「（ビルの）四基のエレベーターには全部『欧州人専用（ヨーロピアンズ・オンリー）』の

標識がかかげてある。黒人はどうするのかと見まわしたら、階段のわきに『荷物ならびにメッセンジャー』というのが一基あって、その前に列を作っていた」

国内各地を転々とした伊藤は、「名誉白人」でありながらも、ホテルでの宿泊拒否に何度も遭ったという。

白人専用のレストランでは、「店内に入った瞬間、白人客から敵意（好奇心の場合も多いが）のまなざしを向けられるのは仕方ないとしても、ウェートレスがなかなか注文を取りに来ないのに弱った」と体験を書いたうえで、「絶え間なく浴びせられるさげすみで、心の最も柔らかい部分がかき破られる。（中略）こんなおぞましさにはそう長く耐えられるものではない」と嘆いた。

経済的な結びつきは強くなっても、国民に染みこんだ差別感情を打ち消すのは難しかった。

囚人番号「46664」

他のアフリカ諸国が独立を目指して闘争を続けていたように、南アフリカで反アパルトヘイト運動の指導者として名をはせた一人がネルソン・マンデラだった。１９１８年７月、テンブという地元の有力な首長の子どもとして生まれ、大学で法律を学んだ後、１９４４年に黒人たちの権利向上や平等を求めてきたアフリカ民族会議（ＡＮＣ）に参加。52年には、オリバー・タンボとともに開いた法律事務所で働いた。

当時は白人政権がアパルトヘイト政策を拡大させた時期にあたり、マンデラたちＡＮＣのメンバーは、白人専用の施設に侵入するなどして抵抗運動を続けた。治安部隊によって群衆が逮捕されることも相次ぎ、60年にはＡＮＣも非合法化された。

アフリカーナーが主体の国民党政権は白人だけの国民投票を実施し、61年にはイギリス連邦を脱退して南アフリカ共和国となり、人種差別的な政策を推し進めた。非暴力運動から武装闘争も辞さない構えに転じていたマンデラは62年に逮捕され、２年後のリボニア裁判では国家反逆罪で終身刑を言い渡された。

南アフリカ南西部に浮かぶロベン島。晴れた日には観光地としても有名なケープタウンの街並みも視界に入るこの島の刑務所で、マンデラは27年におよんだ獄中生活のうち、18年を過ごした。

囚人番号「４６６６４」。２畳ほどの狭い独房で、窓から見えるのは壁と中庭だけ。食事も味気ないおかゆが多かった。毎朝5時半に起こされ、石灰の採掘作業で何時間も働かされた。お湯の出ない海水で体を洗い、午後8時になると就寝するよう命じられた。冬場は氷点下近くまで気温は下がったが、ござを敷き、薄い毛布で寒さをしのいだ。

面会は厳しく制限され、いつ出所できるかも分からない中で、マンデラは理性と差別のない国造りへの願いを忘れなかった。トルストイの著作『戦争と平和』を何度も読み、「同胞を導くには、ほんとうに同胞を知らなくてはならない」との思いを強くした。刑務所内で苦労をともにする受刑者たちと議論を重ね、刑期が短い囚人に伝言やメモをひそかに託し、アパルトヘイト撤廃運動の継続を訴えた。

看守ブランドのフルーツケーキ

マンデラの姿に共感し、会話をするようになった一人が、マンデラの見張り役だった看守のクリスト・ブランド（59）だった。

ヨーロッパ移民の子孫だったブランドは幼い頃、親の農場で黒人の子どもたちとも遊んだ記憶があった。父親から「目上の人に敬意を払いなさない。神様は私たちに違う肌の色を授けたが、尊重し合わなければいけない」と教えられて育った。

1990年２月、獄中生活から解放され、自宅があるヨハネスブルクのソウェトに戻ったネルソン・マンデラ（ビクター・マトム撮影）

高校を卒業した1978年、看守の仕事に就いた。配属先はロベン島。当初、上官からは「この国で最も重大な犯罪者が収容されている」「マンデラは、女性や子どもを殺す恐ろしいテロリストだ」と教えられた。

身構えて仕事をこなしていたブランドに、40歳以上も年の離れたマンデラは、出身や体調を尋ねてきた。親が農家だったことを伝えると、「それはいいニュースだ。刑務所の中庭で栽培しているトマトやタマネギなどの育て方を教えてほしい」と頼んできた。マンデラの誕生日には、5万5000枚ものメッセージカードが世界中から刑務所に届いた。

「マンデラと接していても、犯罪者のように思えなかった。謙虚で、年の離れた私にも敬意を持って接してくれた」。信頼感が少しずつ芽生え、マンデラがアフリカーンス語を学ぶのも手伝った。マンデラが別の刑務所に移送された時も同じタイミングで異動し、獄中生活を見届けた。

マンデラは自伝『自由への長い道』（東江一紀訳、NHK出版）で、「すべての看守が鬼のように冷酷なわけではない。収監された当初から、わたしたちは、看守のなかにも公正さの観念を持つ者がいることに気づいていた」「獄中にあった最もつらい時期でさえ、同志やわたしが限界まで追い詰められると、看守のひとりが人間性のかけらをのぞかせたものだった。たとえほんの一瞬のことであっても、それがわたしを励まし、持ちこたえさせた。人の善良さという炎は、見えなくなることはあっても、消えることはない」と書いている。

ブランドは、マンデラとのいくつかの思い出をいまも覚えている。私は別の取材があって直接話を聞けなかったが、現地スタッフに当時の記憶を語ってくれた。

一つは、マンデラの妻が面会に来た時のことだ。面会時間は当時、3ヵ月に1回きり、それも30分だけと決められていた。妻は生後4ヵ月の孫娘を連れてきていたが、子どもと囚人の面会は禁止だった。

話を聞いたマンデラは、「窓越しでもいいから、赤ちゃんの姿を見せてくれないか」と懇願(こんがん)してきた。ブランドは妻から孫娘を預かると囚人用の通路に行き、マンデラに30秒だけ抱かせた。「彼は涙を流し、孫娘に2度キスをしていた。感情的になっていた」

別の年のクリスマス。マンデラは「誰も面会に来ないから、一緒にお祝いしないか?」と誘ってきた。刑務所を彩る装飾品はなかった。「どうやって?」と聞くと、「ただ、お茶を飲むだけだよ」とほほえんだ。

数人の看守とともに、お茶やコーヒー、フルーツケーキを食べた。「囚人と一緒にクリスマスを祝うのは初めてです」とマンデラに言うと、「とても楽しい日だった。でも、あなたの持ってきたケーキはまずかったね」と苦笑いされた。

「それは、ブランデーが入ってないからですよ。明日、おいしいのを持ってきます」と約束し、妻が得意だったフルーツケーキをこっそりと渡すと、マンデラは気に入ってくれた。

「それからは、妻に誰にあげるかは内緒にしたまま、何度もケーキ作りをお願いした。マンデラが釈放された後に妻には真実を告げた。結局、彼が2013年に亡くなるまでケーキを届けていた」

マンデラが釈放された時、多くの白人は「テロリストが出てきた」と言って復讐されることを恐れた。そんな時、マンデラはブランドにこう話していたという。

「ANCの会議で、私の同志たちは『いまこそ国を引き継ぎ、白人たちを海に追いやり、資産を取り戻すべきだ』と言っていた。その時、私は同志たちに伝えた。落ち着きなさい。我々が戦っても、白人はいまも銃や弾薬を持っている。路上で多くの血が流れ、無垢な人々が命を落とすのは、我々に何の利益ももたらさない。それよりもむしろ、我々の敵(白人たち)と和解しようではないか。敵と手を取り合い、一緒にこの国を造っていこう。

世界中に、我々は敵だった人たちとの和解を選んだと伝えていこうではないか、とね」

人種の融和(ゆうわ)を求めるマンデラは、獄中生活で学んだアフリカーンス語で演説し、白人との緊張関係を和(やわ)らげた。さらに、アパルトヘイト時代に「圧政の象徴」「白人のスポーツ」として黒人たちが嫌っていたラグビーの重要性にも目を向けた。スプリングボクスという代表チームの愛称の変更を求める黒人たちの要求を退け、１９９５年のラグビーワールドカップで「一緒になって応援しよう」と国民に呼びかけた。

「マンデラは南アフリカにいる国民を一つにまとめようとし、実際に団結させた。27年も刑務所に入っていたマンデラの歩みや信念について、若い世代の人にも知ってもらいたい」。ブランドはいまの願いをそう語った。

同志ムランゲニの証言

もう一人、獄中生活中のマンデラを間近に見てきた人物が、アンドリュー・ムランゲニだ。リボニア裁判でマンデラとともに終身刑を受け、ロベン島などの刑務所に収容された。

２０１８年にケープタウン近郊の自宅で出迎えてくれたムランゲニは、足取りもしっかりとし、90歳を過ぎているとは思えなかった。

ムランゲニがマンデラに初めて会ったのは、1951年にまでさかのぼる。ヨハネスブルクの駅で列車を待っている時に、簡単にあいさつを交わしたという。

黒人としては珍しく大学で法律学を学び、法律事務所を立ち上げようとしていたマンデラはあこがれの存在だった。ANCの活動に加わっていたムランゲニは、白人政権と闘うための軍事訓練を中国で受けた後、南アフリカ各地で若者の勧誘活動を担った。63年に逮捕され、89年に釈放された。

刑務所では当初、マンデラやムランゲニら黒人たちは下僕（げぼく）と扱われ、半ズボンしか身につけることを許されなかった。マンデラは看守たちと粘り強く交渉を重ね、少しずつ待遇を改善していった。

「マンデラはいつも、自分自身とANCのことだけではなく、島の刑務所に収容されている他の囚人や別の政党のことも知ってもらいたいと話していた。島に来た訪問者が彼のことばかりを知りたがっていると、『他に聞くことはないのか』と苛立（いらだ）っていた。自分のことよりも、他の人々を代表して話すことを大事にしていた。多様性を重視する優秀な弁護士であり、優秀な指導者だった」

マンデラとともに収容されていた同志アンドリュー・ムランゲニ
（著者撮影）

ムランゲニは、政権与党内での対立や政治家の汚職が相次いで発覚する現状を憂い、「マンデラが生きていれば、我々に『争っている暇はない。共通の課題に立ち向かうために団結しなさい』と言っていただろう」とこぼした。一方で、「南アフリカが（白人に）抑圧された時代は数百年も続いた。私たちがそのような時代を終わらせてから、まだ24年しかたっていない。すべての南アフリカ国民が住みたいと思うような国にするには、まだ多くの時間が必要だ」とも述べ、忍耐を求めた。

２０２０年７月、彼は95歳でこの世を去った。マンデラが２０１３年に亡くなった時の年齢と同じだった。リボニア裁判で終身刑を受けた元被告の中で、最後の生存者となったムランゲニの死は、一つの時代の終わりを告げるものだった。

法律で禁じられた恋

マンデラたちが刑務所に収容されていた時、南アフリカ国内ではアパルトヘイトによって黒人たちが抑圧された生活を余儀なくされていた。現在の日本に住む我々には信じがたいことだが、白人政権は、異なる人種間の結婚や性行為を法律で禁止し、取り締まりを強化した。その狙いは、白人と黒人の間に生まれてくる子どもを減らし、白人が権力を握る体制を維持することだった。

違反した白人や黒人たちが、禁錮(きんこ)刑(けい)を受ける例も大きく報じられた。当時の司法大臣の説明によれば、１９６６年4月〜67年6月だけでも、異なる人種間の恋愛を禁じる背徳法に反した人の数は１３５０人に上った。そのうちの半分近くは、白人男性だった。

当時、法律に反してでも人種の壁を越えようとした人に話を聞こうと、私はアパルトヘイト時代に「結婚した」カップルを探した。すでに亡くなっている場合や交際を秘密にしたままの男女もいたため、予想以上に難航した。見つかったとしても、「注目を集めたくない」と実名での取材に答えてくれないカップルも複数いた。

「黒人女性と結婚した白人の男性がいる」と知人から知らせがあったのは、２０２０年の7月だった。新型コロナウイルスの感染者が多い時で1日当たり1万人以上を超える時期だったため、訪問するのは戸惑いもあった。だが、男性の自宅周辺は通信環境が不安定ということもあり、電話などを利用した取材は難しかった。最大都市ヨハネスブルク中心部から約50キロ南にあるフェリーニヒングという街に住む男性を訪ねることにした。

野菜や魚を売り買いする露天商でにぎわう市場を抜け、伝えられた彼の住所に向かうと、れんが造りの平屋に着いた。周辺は舗装されていない道も多く、砂埃(すなぼこり)が舞っていた。扉をノックしてしばらく待つと、白髪のベリー・ウィーラー（72）が顔を出した。外国人である私が自宅に入ればそれだけでいらぬうわさが立つらしく、隣家に招いてくれた。マスクをつけた私たちは、お互いに2メートルの距離を空け、玄関のドアも開け放しにした。持参した消毒液を手につけてから、話を聞かせてもらった。

「アパルトヘイト時代の状況といまの南アフリカの変化について取材したい」とお願いすると、「あくまで私が経験したことしか話せないよ」と言うので、「それで構わない」と返した。

ある白人男性の告白

イギリス南東部で生まれた彼は、経済的に貧しい家庭で育った。1970年4月1日、仕事の機会を求めていた友人に誘われて、南アフリカに移住した。船で14日間かけてケープタウンの港にたどり着いた。ちょうど、彼の22回目の誕生日だった。英語しか話せなかったウィーラーは、オランダ系移民が話すアフリカーンス語や黒人が話す現地の言葉に戸惑った。

経済の中心地として栄えていたヨハネスブルクに移り、就労あっせん先で化学を専攻していたと話すと、すぐに研究所で働き口を得ることができた。「いまと違って、仕事を得るのはすごく簡単だった。白人として生活するうえでは、アパルトヘイト体制で不利益を受けることもなかった」と振り返る。

70年代後半、アパルトヘイト撤廃を求める黒人による運動が活発化していたさなか、彼は一人の黒人女性に恋をした。「どこで出会ったのか」と聞くと、「ヒルブロウのレストランだよ」と教えてくれた。

ヒルブロウ――。南アフリカに住んだことのある人にとって、この地名を聞いて何を思い浮かべるかは、年代によって違ってくるだろう。アパルトヘイト時代、ヨハネスブルク中心部にあるこの街は、白人たちが夜通し遊ぶバーやクラブがあった。だが、差別的な政策が撤廃された１９９０年代になると、職やチャンスを求めて黒人たちが移り住むようになる。

高層マンションのポンテタワーがギャングに占拠され、強盗や麻薬、殺人といった犯罪も相次いだ。現在は治安も改善しつつあると言われ、ポンテタワーは観光客目当てのツアーまで開催されているが、現地の住民の中には「ヒルブロウには怖くて行きたくない」と言う人も多い。

「治安が悪い場所」というイメージを強く持っていた私は、当時、白人と黒人が一緒に遊べるクラブやレストランがあったことを知らなかった。彼は「テロリストがいるなんて言われた時期もあったけど、当時は人種に関係なく遊べる場所があった」と教えてくれた。ウィーラーは中心部からさほど距離が離れていない街に家を借り、彼女と一緒に住みはじめた。夫婦として暮らしながらも、人種の違う２人は法律上、結婚はできなかった。目立つのを避けるため、近所のスーパーマーケットに一緒に行くこともできず、職場では「妻」がいることはめったに明かさなかった。ヒルブロウのバーなど限られた場所で、２人の時間を楽しんだ。１９８３年には女の子が生まれ、ソニアと名付けた。

あからさまに侮辱の言葉を浴びたり、暴力を振るわれたりすることはなかったが、「近所に住む白人家庭、特にアフリカーナーの人たちの視線は厳しかった。妻はもっと大変だったかもしれない」。近隣からの通報を受けたのか、警察官が自宅に来た時は、妻をメイドだと偽り、幼い娘を洋服ダンスに隠した。

「泣かないでおくれ」と祈りながら、警察官がいなくなるのを待った。不自由な生活は続いたが、家族といられる日々は幸せだった。

民主化の足跡が近づいてきた１９８９年、10年あまりの「結婚生活」は終わった。ウィーラーは「離婚したのはプライベートな理由だよ」と詳しくは話そうとしなかった。かたくなな態度を見て、私はさらに突っこんで彼の恋愛関係を聞くことをやめた。

彼が黒人女性と恋愛し、結婚したのは、異人種の恋愛にさほど偏見を持たなくてもすんだイギリス出身の移民1世であったことが大きかっただろう。一方で、彼の人生は、法律の壁を越えて恋に落ちたカップルでさえ、別れを選ぶ男女はいるという、はかない恋愛模様を教えてくれた。

ソウェト蜂起と幼い弟の死

「あの日、弟が殺されるなんて、思いもしなかった」

１９７６年６月16日、アパルトヘイト政策撤廃のきっかけとなったとも言われる有名な事件「ソウェト蜂起（ほうき）」が起きた。

オランダ系移民の子孫たちが支配した白人政権はこの年、自分たちが使っていたアフリカーンス語を黒人の子どもたちが通う学校に強制しようとした。オランダ語が変化したと言われるアフリカーンス語を話せる黒人は少数で、約1万人の高校生たちが、ヨハネスブルクで最大規模の黒人居住区ソウェトなどで怒りの声をあげた。

衝突は拡大し、警察が発砲して応戦。５００人以上の犠牲者が出たと言われている。

当時の状況を知る人を取材しようと、知人からアントワネット・シトレ（61）を紹介してもらった。待ち合わせ場所は、現場近くにある博物館の前だった。冬場にあたる7月だったため、日中の気温は10度前後しかなく、簡単に自己紹介をすませると、近くの喫茶店に入った。

彼女も私も、南アフリカ原産のルイボスティーを注文した。カフェインが入っておらず、健康茶として日本でも知名度が上がっている飲み物だ。苦いコーヒーが苦手な私は、南アフリカ駐在中にそのおいしさにはまり、出張時以外は毎日のように飲んでいた。

寒い日には、温(あたた)かいルイボスティーにミルクを入れて、蜂蜜で少し甘さを加える飲み方が気に入っていた。ただ、取材中はのんきにティータイムを楽しむわけにもいかない。彼女の言葉を聞き漏らさないよう、愛用していた3色ボールペンを握った。

ソウェト出身の彼女は抗議デモに参加するまで、抑圧されることが当たり前のように思っていた。両親が政治活動に熱心ではなかった影響もあり、差別的なアパルトヘイト政策についてほとんど理解できていなかった。

だが、自分たちの学校でアフリカーンス語が強制されると聞いて「おかしい」と気づき、

６月16日の朝、抗議デモの輪に加わった。17歳になったばかりだった。

高校生たちは「抑圧者の言葉はいらない」などと書いたプラカードを掲げ、かつてマンデラが住んでいた自宅周辺にある学校を目指していた。付近には、警察官がいくつかの通りを封鎖し、警戒していた。「挑発しないように」と同級生たちと言い合った。

午前９時前、突然、近くで乾いた発砲音が響いた。一瞬、何が起きたか分からなかった。他の生徒たちはあちこちに逃げ、民家の外に設置されていたトイレや教会に隠れた。歩道の陰に隠れたシトレは、恐怖で身を小さくすることしかできなかった。

しばらくして発砲音が収まった時、少し離れた通り沿いに、４つ年下の弟ヘクター・ピーターソンの姿が見えた。

「え、なんで？」

抗議運動に参加するとは聞いてなかった。何より、発砲現場に幼い弟がいることが信じられなかった。

「ゾリレ！」

自分の目の錯覚（さっかく）かもしれないと思いながら、現地の伝統的な名前で弟に向かって叫んだ。すぐに反応した。やっぱり弟だった。大きく手を振ると近づいてきた。

「私のそばにいなさい。すぐに家に帰れるから」

弟の前では弱音(よわね)を吐けなかった。発砲音がまた近くで鳴った。逃げるしかない。腰をかがめ、音が鳴るのとは反対方向に慌(あわ)てて避難した。気づくと、弟と離ればなれになってしまっていた。近くにいればすぐに見つかるはずと、信じて待った。

ふと、制服を着ていない一人の男性に目をやった。生徒たちが逃げ惑う混乱のさなかで、誰かの体を持ち上げようとしていた。抱きかかえられた少年の靴は、弟のものだった。

「どこに弟を連れていくの?」。男性に向かって叫んだが、返事はなかった。

記者だと名乗る女性が車を止め、「すぐに乗って」と言ってきた。男性は弟を車内に乗せてから力なく言った。

「彼は死んでしまった」

鮮明だったシトレの記憶は、そこからぼやけている。気づくと、近くの診療所でたたずんでいた。

弟に何があったのか、自分の口から親に言うことはできなかった。わが子の死を告げられた母親は、涙を見せず、感情を失っているように見えた。「抑圧された時代の中で、弟

ソウェト蜂起で弟を亡くしたアントワネット・シトレと当時の写真
（著者撮影）

が死んだことは宿命だと思ったのかもしれない。いくらわめいても、死んだ弟が生き返ってくるわけではない。当時は、そう考えるしかなかったのだろう」

アパルトヘイト撤廃へ

亡くなった弟が男性に抱きかかえられ、横で戸惑う自分の姿が写された写真は国内外のメディアに配信され、後日行われた葬式には2000人近い人が弔問(ちょうもん)に訪れた。停滞気味だった反アパルトヘイト運動が国内で拡大するきっかけとなり、学生たちに発砲した治安部隊はもちろん、人種差別を続ける白人政権への批判が国際社会からも高まっていった。

国連安全保障理事会は事態を受けて、「人種差別に反対する児童・生徒や住民に対する大規模な暴力および殺害について南アフリカ政府を強く非難する」との決議案を採択。翌年には、黒人への弾圧を理由に南アフリカへの武器禁輸を決定した。

この前後には、欧州列国の植民地だったモザンビークやアンゴラ、ジンバブエが独立を果たすなど、周辺地域で黒人主体の国家が増えていたこともあり、南アフリカの白人政権は孤立を深めていった。

60年代には一時8%近い経済成長を遂げていた国内経済も、77年にマイナス0・1%になり、その後も不安定な状態が続いた。

政権は85年、異人種間の結婚や恋愛を禁じた雑婚禁止法や背徳法を、翌年に黒人に身分証の携帯を義務付けたパス法を撤廃した。国際社会から批判されやすかったホテルやレストランといった場所での人種別の隔離もやめるようになった。

一方で、黒人居住区で暴動を繰り返す群衆は逮捕され、拷問を受けた。治安の悪化で社会不安が高まり、国際社会からの制裁によって経済は低迷した。欧米の企業が撤退し、投資を引き揚げたことで、政権を支えてきたはずの財界も政権を見限るようになった。

追いこまれた白人政権は、大統領に就いたばかりのフレデリック・デクラークが事態の打開に乗り出す。90年にアパルトヘイト撤廃を訴え続けてきたＡＮＣなどの合法化を認め、獄中生活を続けていたマンデラを釈放。アパルトヘイトの根幹をなしていた法律も撤廃した。

93年には、アパルトヘイト撤廃と民主化を実現したとして、デクラークとマンデラはノーベル平和賞を共同受賞した。

そして94年４月、黒人も含めた初の全人種参加の総選挙が実施された。89年から南アフリカを定期的に調査で訪れ、選挙当時も現地に滞在していた同志社大学大学院教授の峯陽一は、「黒人たちは何百年も選挙に参加することができなかったのに、黒人のメイドが投票するために白人の家族と一緒に並んでいた。我々が当たり前のように思っている一票を投じることが、いかにかけがえのないものなのかと痛感した」と振り返る。結果はＡＮＣが60％以上の得票を獲得して第1党になり、マンデラが大統領に就任した。

黒人政権による急激な変化を抑えるため、選挙は比例代表制が採用され、政党の得票率ごとに各政党が議員を議会に送りこむ仕組みになった。政党ごとの得票率に応じて閣僚を出すことも規定され、複数の政党による内閣が発足。副大統領には後にマンデラの後任となるＡＮＣのタボ・ムベキとともに、アパルトヘイト政策を続けた国民党のデクラークが就き、報復を恐れた白人たちを安堵させた。

アパルトヘイト時代の人権侵害や政治抑圧の真相を究明するため、真実和解委員会も設けられた。加害者が真実を告白すれば、その引き換えに刑事責任を免れる免責規定が設けられ、加害者と被害者が証言する様子はテレビで全国に放送された。

白人政権時代の出来事やマンデラの歩みを展示するアパルトヘイト博物館館長のクリストファー・ティルは「アパルトヘイト後に生まれた世代の中には、マンデラは『白人に国を売った』と非難する者もいる。だが、マンデラたちは、白人と黒人間の内戦を避けるために交渉を繰り返し、なんとか合意に到達した。もし我々があの時に紛争状態に陥っていれば、この国は壊滅的な被害を受けていたはずだ」と指摘する。

98年から２０００年に西ケープ州に住んでいた案は、「当時は白人も黒人も我々外国人も、国が変化していくというドキドキ感を味わっていた。よい方向に進むという確信はなかった。それでも、自分の子どもが通う学校では、黒人の子どもたちが白人の子どもと一緒に通学するようになっていった。アパルトヘイト時代には考えられないことだった」と語った。

１９９５年の自国開催ラグビーワールドカップ

全人種が参加した初めての民主的な選挙から1年あまり。１９９５年5月に自国で開かれたラグビーワールドカップは、生まれ変わった南アフリカを国内外に示す大きなチャンスだった。

ワールドカップは１９８７年、１９９１年にも実施されたが、アパルトヘイト政策による人種差別を批判され、南アフリカ代表は参加できなかった。

国内には、非白人の人々がラグビーをプレーする地域も一部にはあった。だが、１９４

8年にアフリカーナーによる国民党政権が誕生し、人種差別的なアパルトヘイト制度を次々に法制化すると、白人以外の人種を交えた試合や練習は難しくなった。国の代表チームの選手は白人だけになり、スプリングボクスの名は黒人差別の象徴となった。

白人の子どもが通う学校では、ラグビーやクリケットが主に教えられた。一方の黒人たちはサッカーを好み、差別反対の集会をサッカー場で開くようになったことで、白人たちはサッカー場を避けるようになった。

前年に黒人で初めての大統領に就いたマンデラは、国の変化を象徴するものと考え、大会の盛り上げ役を買って出た。白人への憎悪感情が抜けない黒人にも、「スプリングボクスを応援してほしい」と説いて回った。

代表チームは「ワンチーム、ワンカントリー」をスローガンに掲げ、黒人の貧困層が暮らす地区でラグビー教室を開催。大会組織委員会も入場券の一部を貧困地区の人々に無料で配った。

ヨハネスブルク近郊にある国際空港には、代表メンバーの中で唯一の白人以外の選手だったチェスター・ウィリアムズの写真が大きく掲げられ、人種間の融和をアピールしていた。

5月25日、前回大会で優勝したオーストラリア代表を迎えた開幕戦は、南アフリカの白人ファンで埋め尽くされた。前年に新しく制定された国旗がはためく中で、アパルトヘイト時代の旧国旗を持つ白人もいた。27年にも及ぶ獄中生活を強いられたにもかかわらず、釈放後は寛容さや平等を求め続けたマンデラは、「ワールドカップは新生南アフリカ建設のはずみになる」と高らかに宣言した。

当時、朝日新聞記者として現地で取材していた美土路昭一（みどろしょういち）は、「スタンドを埋め尽くしていた白人のファンたちから『ネルソン！　ネルソン！』と大きな歓声が沸（わ）き起こっていたのが印象的だった」と振り返る。

「オーレ！」の声援に混じり、スタジアムには独特なテンポの曲が響いた。南アフリカの黒人鉱山労働者が、暗い坑道などで自らを奮い立たせるために歌ったと言われる曲「ショショローザ」だ。満員の観客の後押しを受けたスプリングボクスは27―18でオーストラリアを破り、上々の滑り出しを切った。

試合後の記者会見で主将のフランソワ・ピナールは「（試合前に）マンデラ大統領がチームを激励に来てくれたのが一番うれしかった。27年におよんだ獄中生活での忍耐に学ぼうと誓い合った。きょう、私たちは一つの国の代表チームになれた」と述べた。南アフリカ代表は、続くルーマニア、カナダ戦も勝利し、決勝トーナメント進出を決めた。準々決勝では、負傷明けのウィリアムズが4トライを決め、黒人やカラード（混血）の国民も熱狂。豪雨の中で実施された準決勝のフランス戦も19―15で競り勝った。

決勝戦の日

迎えた決勝戦。最大都市ヨハネスブルクのエリスパークスタジアムは、約6万人の大観衆が詰めかけた。会場を盛り上げようと、ジャンボジェット機が轟音を響かせてスタジアム上空すれすれを通過した。驚いた観客が見上げると、機体には「スプリングボクスに幸運を」と書かれていた。

対戦相手は、優勝候補筆頭のニュージーランド代表。選手たちの緊張が高まっていた試合開始直前、代表チームのジャージーを着たマンデラが選手たちを激励した。かつてアパルトヘイト撤廃を目指した闘士が、アパルトヘイトの象徴だったスプリングボクスのジャージーを着ることは、大きな意味を持っていた。

当時、南アフリカラグビー協会の幹部だったエドワード・グリフィスの著書によれば、国歌の演奏が始まった時、主将のピナールは言葉をほとんど発することができなかった。

この大会のために、代表メンバー全員で練習し、歌詞も覚えていたはずだった。

ピナールは「あまりにも感情的になっていた。もし歌い始めていたら、涙が止まらなくなっただろう。我々の国にとって、かけがえのない日だった」と語ったという。

試合は速いテンポで攻め立てる相手に対し、南アフリカは堅守から反撃を狙った。後半を終えても9－9の同点。大会史上初めて10分ずつの延長戦に突入した。疲労で足が止まりかける選手もいる中、ピナールは仲間に呼びかけた。

「みんなよくやっている。全員が疲れているのも分かっている。でもスタジアムにあふれた国旗と観客の顔を見てくれ。これ（勝利すること）はたった一度のチャンスだ。我々は、南アフリカのために成し遂げなければならない。足に痛みが出ても、国旗を見てみろ。元気をもらえるはずだ。やるべきことを続けていこう」

両チームが延長前半に3点ずつを取り合い、迎えた延長後半、南アフリカのジョエル・ストランスキーが蹴ったボールは、高く放物線を描いてクロスバーの上を越えた。ドロップゴール。15－12と勝ち越しに成功した。レフェリーのノーサイドの笛が鳴ると、選手たちは両手を広げて跳び、涙ぐみ、抱き合って喜んだ。

優勝インタビューで、「6万人以上の観衆が詰めかけた」と問いかけられたピナールは

「6万人だけじゃない。（全国民の）4300万人が後押ししてくれた」と強調し、国民を喜ばせた。

優勝トロフィーのウェブ・エリス・カップを授与したマンデラは、「南アフリカのためにやってくれたことに感謝している」とたたえた。受け取ったピナールは、「あなたがこの国のために成し遂げてくれたことには、およびもしないです」と謙遜（けんそん）した。

南アフリカ国民の多くは、自宅や小さな居酒屋、ホテルのバー、さらには刑務所や路上でも、母国の代表チームの優勝に沸き立った。

新聞記者の美土路は決勝戦の取材後、訪れたヨハネスブルク郊外のホテルのクラブで見た光景をいまも鮮明に覚えている。

「白人も黒人も一緒になって母国の代表チームの優勝を喜び、狂ったように踊っていた。これこそが、マンデラが願っていたことなのだと思った」

生まれ変わった国？

マンデラが釈放され、大統領に就いた時代は、多くの問題を抱えつつもよりよい生活への期待感に包まれていた。アパルトヘイト時代に黒人女性と結婚したウィーラーも、人種の融和を訴えるマンデラの姿に興奮した。

「マンデラが釈放された時、違う人種の女性と交際し、結婚した私も、ようやく解放され、自由になった気がした。高揚感と希望でいっぱいになった。よい方向に変わる。陰に隠れたりすることもなくなったのだとね」

１９９４年に全人種が参加した初めての総選挙が行われた2年後、ウィーラーは数年前から交際していた別の黒人女性と結婚した。裁判所に届け出て、今度は法律上も妻となった。

「新しい政府ができて、新しい体制になり、普通の人のように暮らすことができるようになった。普通の婚姻関係にしてみたらどうなるか見てみようと思った。特に何も変わらなかったけどね」

妻は２０１１年に結腸がんで亡くなった。仕事は定年退職で辞め、いまは妻と住んでいた質素な家で孫の世話をするのが日課だ。

「アパルトヘイトが撤廃された後、この国はよい方向に変化してきたでしょうか？」

私の質問に対して、ウィーラーは「人間が誰かを抑圧し、汚いものだとか二等市民のように接することは正しいことではない。この国では、そんなことが50年近くも続いた。それがなくなったことは、よいことだと思う」と答えた。

彼にいまの夢を聞いてみると、しばらく考えこんだ。

「皆がお互いを尊重し、愛し合うことだ。歌手のジョン・レノンが『Imagine all the people』と歌っていたようにね。彼も日本人女性と結婚しただろう。お互いに尊重し合う。難しいことだけど、それがいまの夢だ」

ただ、彼はこうも言った。

「こんなことを話したくはないけれど、政治は問題を起こしてばかりだ。国民の多くは、与党であるANCの政治家が私たちのお金をくすめ取っていると不満を言っている。我々は停電ばかり続く生活を余儀なくされ、道路も凸凹が目立ってきているのにね。白人の中には、『政治家たちは無能だ。アパルトヘイト撤廃後、26年も無駄にしてきた』と言う人も出てきている」

悲しげな表情を見せる彼に、「国を去る白人もいますよね?」と尋ねてみた。教育を受けた白人の若者たちが、国の経済低迷や黒人優遇策によって昇進を望めないと見切りをつけ、オーストラリアやアメリカ、イギリスといった国に渡るといった事例が指摘されていた。

「20代や30代の若者、いや40歳の人でも、国を離れていくだろう。でも、私はもう72歳だ。いまさらどこに行くこともできないし、ここで暮らしていくよ」

彼はそう言って下を向いた。

初めての一票

ソウェト蜂起で弟を失ったシトレはその後、精神的な傷が癒えず、抗議運動とは距離を置くようになった。高校を卒業後、１９８２年に結婚。その7年後には別の男性と再婚し、本の配送会社にも職を得た。

白人と黒人の職員は別々の場所に分けられて働き、待遇面でも白人と差があったが、職探しに苦労している黒人が多い中で、仕事があるだけ幸運だった。マンデラが釈放された4年後に実施された総選挙で、シトレは人生で初めて一票を投じた。

「投票することができるなんて信じられなかった。やっと人間として認めてもらえたように感じた」

あの時、警察がなぜ発砲したのか、いまもよく分かっていない。威嚇してきた警察犬を生徒たちが殺したと説明する人もいるが、詳細は不明だ。「弟はもう返ってこない。でも、私たちの抗議運動の後に、マンデラが釈放され、成人なら誰でも選挙で投票できるようになった。重い扉を開け、その後の国造りにつなげることができたのではないかって思う。どんなに暗いトンネルでも、進む先に光は見えてくる。そう思うようになった」

私と待ち合わせをした博物館は２００２年、弟が亡くなった現場近くに造られた。弟の名前から「ヘクター・ピーターソン博物館」と名付けられた。シトレも現地ガイドとして、20年近くそこで働いた。来館者に当時の出来事を伝えるうちに、自分の心も癒やされていった。

取材の最後に、「いまも白人警察官を恨んでいますか?」と尋ねた。

「いつまでもくよくよしていてもしょうがない。それに、肌の色なんて関係ないって気づいた。たとえ、ピンクや青、紫色だってね。私には白人の友人も大勢いる。彼らも同じ人間。違うのは肌の色だけ。いろんな種類がある花のように、みんな違っているのよ」

「確かに、この国はいろんな問題を抱えている。政治家の汚職もあるし、貧困も続いている。子どもたちの学校の設備だって整っていない。政治家はアパルトヘイト撤廃を目指した闘争後の計画を持っていなかったのだと思う。時間はかかるかもしれないけど、国の未来である子どもたちが希望を持てるような社会になってほしい」

死んだ弟が抱きかかえられている写真は、博物館の入り口近くにいまも掲げられている。喫茶店を出て、一緒にその写真を見に行くと、シトレは「この写真を見ても、自分じゃないように感じてしまうのよ」と笑った。そのすぐ近くでは、幼かった弟と同じくらいの年齢の子どもたちが走り回って遊んでいた。

第3章　世界一治安が悪い国？

「虹の国のパズル」

「南アフリカは、統計が適切に取れている国の中で、世界で最も（経済的に）不平等な国。さらに格差は深刻化している」

南アフリカ屈指の名門校として知られるウィットウォーターズランド大学の名誉教授、エドワード・ウェブスター（78）は、国内の格差の現状についてそう指摘した後、「解消するのはパズル（難問）だ」とうなだれた。

全人種が参加した1994年の総選挙から四半世紀が過ぎた南アフリカ。ネルソン・マンデラが「虹の国」とうたった国はいま、多くの問題に直面している。その大きな一つが格差や不平等と言われるものだ。

経済協力開発機構（ＯＥＣＤ）によると、所得分配の格差を示すジニ係数（ゼロに近いほど均等で、1に近いほど格差が大きい）は0・62で、40ヵ国中最も高くなっている。格差問題が大きく注目されている米国の0・39、日本の0・34に比べても深刻な状態になっている。

高層ビルやホテルが立ち並び、高級車に乗る富裕層を多く見かける地区から車で5分も走れば、電気も水も自宅にはない「シャック」と呼ばれる掘っ立て小屋に住んでいる人も見かける。世界銀行は南アフリカの格差の状況について、総選挙の前年の１９９３年より現在の方が大きくなっていると推計する。

「なぜ経済格差はこれほどまでに大きいのか」と、ウェブスターに疑問をぶつけた。

「１９９４年（の選挙時に）に、私たちは２つの並行したプロセスを通った。政治的には人種の平等や人権を重視した憲法を制定し、全人種が投票できるようになった。一方で、経済政策については少数の白人や白人企業に力を持たせたままにし、低賃金で黒人を働かせる搾取（さくしゅ）の構造を維持した。権利と引き換えに、経済や富の多くは白人の手にとどめておくという取引がなされたのだ。それが、いまの状態を生み出している」

２０１４〜15年の政府の調査では、給与や社会保障を含めた黒人世帯の年収は約９万３０００ランド（約72万円）にとどまり、約44万ランド（約３４０万円）の白人家庭の４分の１にも満たなかった。２０１７年の失業率は黒人が31％に上る一方、白人は６・７％にとどまっている。

人種間の格差を生む理由の一つは、少数派の白人が手にしたままの土地をめぐる「既得権益」だ。アパルトヘイト時代の名残で、全人口の10％に満たない白人が７割超の土地を所有している状態はほとんど変わっていない。

２０１８年2月に大統領に就任したシリル・ラマポーザは「不平等を是正する」とし、白人の土地を補償金なしで接収して黒人に再配分する意向を表明した。だが、白人農家らの反対論は根強く、強制的な土地改革を進めようとして経済低迷や欧米諸国との対立をもたらした隣国ジンバブエの事例もあり、すぐに根本的な問題解消につながる可能性は低いと見られている（ジンバブエと南アフリカの土地問題の現状については、拙著『堕ちた英雄――「独裁者」ムガベの37年』集英社新書をご覧ください）。

もちろん、南アフリカ政府は黒人用の住宅や学校を供給し、人種間の格差の是正に努めようとした。マンデラたちが推し進めた小学校での給食制度は、シヤ・コリシのような貧困地区に住む家庭の子どもたちにとって少なからず支えになった。教員の数や質などの問題はいまも多く残っているが、政府の統計では２０１７年までに6～18歳の子どもたちの就学率が96％に達したとしている。

社会保障も充実させ、政府は60歳以上の国民や永住者、難民であれば月に最大で１８６０ランド（約1万３０００円、所得制限あり）を高齢者手当として受給できると説明している。

ヨハネスブルクのソウェトで、シャックに家族で住む無職の男性（62）は、空き缶やペットボトルなどを回収して１００円程度の日銭を稼ぐが、それでは到底足りない。「息子夫婦や孫の生活も、自分の年金と子どもの手当が頼みの綱だ」と明かす。

採用や幹部登用で黒人を優遇する企業を後押しする経済参加促進法（ＢＥＥ）も制定され、多くの黒人が富を手にした。高級住宅街に住んでベンツやポルシェといった高級車に乗る黒人の姿も見られるようになった。

実際、南アフリカ政府が２０１９年に発表した報告書「Inequality Trends in South Africa」で国民（黒人、カラード、インド／アジア系、白人）の所得格差を見てみると、２００６年には所得上位の10％の人が全所得の61・２％を占めていたが、２０１５年には53・９％になり、格差は若干（じゃっかん）だが小さくなっているのが分かる。

白人と黒人の間の所得格差も、２００６年には白人が10倍以上多かったのが、２０１５年には６・５倍弱になっている。

一方で、黒人間の格差は広がりつつある。貧困地区で話を聞くと、「政府とつながりのある黒人が恩恵を受けているだけだ」「アパルトヘイト時代よりも生活は厳しくなった」

という意見を何度も聞いた。

現地スタッフに話を聞いても、「名前を企業に貸して、名ばかり管理職として高収入を得ている親戚がいる。そうすれば、その企業は政府関連の仕事をもらいやすくなる」と教えてくれた。

実態を探ろうとスタッフを通じて取材を頼んでみたが、実現することはなかった。

近年では、マンデラたち黒人解放の闘志たちを「虹の国を造った英雄」と見る意見に混じり、「白人に国を売り渡した人間」と真逆の意見を持つ黒人の若者も出てきている。

アパルトヘイト撤廃で社会はよくなった?

アパルトヘイト撤廃後の南アフリカ社会は、よくなったのか、それとも悪くなったのか?

私の率直な質問に、ウェブスターは「当時は黒人経営者がわずかしかおらず、白人経営者は黒人たちを見下していた。抗議運動に参加していた人は、人種差別について抗議の声をあげていたのだ。その時代に比べると、我々は進歩している。(白人の親から生まれた)息子も黒人女性と結婚できるようになったし、黒人の子どもたちが白人の子と同じ学校、大学に行けるようになった。住まいも人種に関係なく住めるし、同じレストランにだって行ける。これらは人間の尊厳の問題だった。我々は非常に重要な進歩を遂げたのだ。だが、シャックに住み、パンすら買えない人にとって、誰とでも結婚できる権利は何の意味もなさないだろう。いまの我々は、支配と強奪からの発展の途上にあり、そこでつまずいている状態なのだ」

ウェブスターは自らの説明を、「矛盾（むじゅん）しているように聞こえるかもしれないね」とことばした。「社会はよくなった」と言いつつも、一方では「つまずいている」とも話す。「日本の読者の方に誤解を与えたくない。ジャーナリストは、どちらか一方の答えを求めがちだけど、学者は複雑にしたがる。実際のところ、複雑な問題なのだ」と話した。

「アパルトヘイトが廃止された後、私たちは土地や富の再分配など、格差を是正するためにもっとできることがあった。与党に対する国民の支持や期待は高く、正当性もあった。だけど、機会を逸した。政治的な意志がなく、リスクを取らなかった。マンデラは民主的に白人と黒人の和解を実現させた。だが、その後の世代がチャンスを逃した。（マンデラの後任の）ムベキやズマ、つまり我々の世代が失敗したのだ」

ウェブスターが言うように、マンデラの後の大統領職を継いだタボ・ムベキ、その後のジェイコブ・ズマ時代は、与党アフリカ民族会議（ＡＮＣ）の権力闘争が起こり、汚職疑惑も相次いだ。

２００９〜18年までその任にあったズマは、武器購入の際の金銭授受にからむ汚職などの罪で訴追され、貧困にあえぐ国民の政治不信を招いた。

金やプラチナなどの鉱物資源の輸出を基盤にしながら、製造業や金融業の発展によって経済成長を遂げてきた南アフリカは、２００８〜09年の世界金融危機以降、投資・輸出の不振が響き、２００９年の経済成長率はマイナス１・５％に下落。その後は持ち直したかに見えたが、最大の貿易国になった中国の経済動向や鉱物資源価格の下落などの影響で、この数年は低迷を続けている。

失業は外国人のせい？

こうした現状の中で、生活水準が上がらない一部の南アフリカ国民の攻撃対象になっているのが、他の国から来た移民たちだ。

アパルトヘイト時代から、鉱山などの採掘を担う企業は南アフリカの隣国の労働者たちを雇い入れてきた。２０００年代に入ると、ハイパーインフレに襲われたジンバブエなどから仕事を求める人が次々に国境を渡ってきた。

彼らにとって、母国よりも何倍も経済力がある南アフリカは魅力的な移住先だった。アパルトヘイト時代に学校教育を満足に受けられなかった南アフリカの黒人と違い、政府が教育政策に力を入れたジンバブエ人らは企業側からも重宝され、鉱山や農場、飲食店で雇用された。

世界銀行が発行した２０１８年の報告書によると、南アフリカの移民数（難民申請者らも含む）は、１９９０～２０００年までは１００万人前後と推定され、総人口に占める割合も2～3％ほどだった。

ところが、２０１７年時点で約４０４万人に急増し、総人口約５８００万人に占める移民の割合は７・１２％に達したと推定されている。

南アフリカの黒人たちからは、「移民が自分たちの仕事を奪っている」との反感も生まれ、外国人移民に対する暴力事件がたびたび起きている。ゼノフォビア（外国人嫌悪）と言われる問題だ。

２００８年には、南アフリカ各地で移民への暴力行為が頻発し、わずか2週間で少なくとも62人が殺害され、約７００人が負傷。襲撃は、シャックが並ぶヨハネスブルクのアレクサンドラ地区で始まり、住民たちがなたや石、銃で移民に襲いかかった。

拳銃をへその辺りに忍ばせていた住民たちは、「外国人は絶対に戻らせない。やつらは泥棒だ」「不法移民のせいで、俺は空き瓶集めしか仕事がない」と怒りをぶつけた。国連は、排斥による避難者が10万人に上ったと発表した。

2015年にも、ヨハネスブルクと南東部のダーバンを中心に襲撃が発生。この時は、最大民族ズールーの指導者が、南アフリカの高い犯罪率は移民が原因であり、移民は出て行くべきだと呼びかけたことが暴動の引き金になったとも言われている。

近隣諸国では移民への暴力行為に対して激しい抗議デモが発生し、各国首脳が南アフリカ政府の対応を非難するなど、国際問題にまで発展した。

私が現地に赴任していた2019年9月にも、外国出身者の経営する店が暴徒に襲われ、死傷者が出る事件が大きく報じられた。特に標的になったのは、現地で存在感を高めていたナイジェリア人だった。

ヨハネスブルク中心部のヒルブロウなどには、多くのナイジェリア人たちが住みつき、中には、不法滞在者や麻薬取引といった犯罪に手を染める者もいた。

匿名を条件に取材に応じてくれたナイジェリア人の男性（32）は、「私たちのような外国人を狙った犯罪は以前から起きていたし、自分がナイジェリア人だと分かると冷たい対応をされたこともあった」と声を潜めた。

今回はナイジェリア人が経営する自動車店の自動車が何台も焼かれる映像が拡散され、家族から電話で「早く帰ってこい」と心配された。

母国に退避する人も続出し、両国の関係に深い傷痕を残した。中心部以外で事業を展開していた彼の店は幸いにも被害を免れたため、現地に残ることに決めた。

「こういった被害に慣れっこになっているところはあるけど、ストレスがたまるのは確かだ。私のような外国人に偏見を持っている人間は少なくないから」とこぼした。

男性は２０１５年、アフリカ有数の経済国である南アフリカでビジネス経験を積もうと考え、ヨハネスブルクに移住してきた。中国製の家具や家電、雑貨用品を売る店を開き、ビジネスも軌道に乗った矢先だった。

「移民が仕事を奪っているという意見があることをどう思っているか」。私の質問に、彼は本音を語った。

「全員とは言わないけど、南アフリカ人、特に黒人は怠け者が多い。彼らの中には学費を払わず、水道や電気代だって払わなくていい人もいる。他のアフリカの国と違って、すごく恵まれている。南アフリカの黒人たちは、『我々（外国出身者）が仕事を奪っている』と言うけど、彼らは他の国の状況を分かっていない。私たちの場合は技術がないと仕事にはありつけない。だから時に大金を払ってでも勉強する。南アフリカにはＩＴ関係などの職業訓練校も豊富にある。国民だったら格安で通えることもある。いまは知識や技術がなければ、そういったところに通ってスキルを身につければいいだけだ。それなのに、なんで仕事のことで文句を言っているのか私には理解できない」

彼は続けてこんな話をしてくれた。

「友人が契約した物件に家具や家電を設置する時にも、南アフリカ人の業者に頼んだら1万ランド（約7万7０００円）を請求され、作業終了までに2～3週間はかかると言われた。ところが、近隣国のマラウイ出身の業者に頼んだら2０００ランドしかかからず、期間も1週間ですんだ。チップを少し多めに積んでもずいぶん安くすんでしまった」

アパルトヘイト時代から人権や平等を求める運動を続けた南アフリカの黒人たちは、権利意識が強い割に働きぶりは芳しくないという声は他でも何度か聞いた。真面目で優秀な国民もいると私は自信を持って言えるが、企業や飲食店の経営者の中には、南アフリカの黒人ではなく、低賃金でも黙々と働く近隣国の移民たちを雇用したがる人がいるのも確かだった。

失業率の高さにあえぐこの国において、少ないパイをめぐる争いはしばらく続いてしまうだろう。

解消できない治安問題

「赴任先は南アフリカのヨハネスブルクでどうだ？」

２０１７年５月中旬、私は勤めている新聞社の上司からアフリカ担当特派員として内示を受けた。05年に朝日新聞社に入社してから念願だった海外赴任。喜びとともに、頭に浮かんだのが現地の治安状況だった。

アフリカ出身者にはプライベートでも仕事でも会ったことはあったが、肝心の南アフリカには一度も訪れたことがなかった。雰囲気をつかもうと、試しにインターネットで検索してみると、「世界一治安の悪い国」などと書かれているサイトもあった。

支局があるヨハネスブルクにいたっては、真実かどうかも不明な犯罪被害例を載せて、「リアル北斗（ほくと）の拳（けん）」「世界最凶都市」と呼ぶ人までいた。遠いアフリカの地での生活に不安がよぎるのは、南アフリカへの赴任を言い渡された人やその家族の多くが通る道だ。

この国の治安が急激に悪化したのは、1980年代~90年代と言われている。白人政権によって抑圧されてきた時代から、マンデラが釈放されるなど、民主化に向けて歩んでいた時期にあたる。特に、最大都市ヨハネスブルクは「世界の犯罪首都」と呼ばれるほど治安が悪化した。

幼い生徒たちが犠牲になったソウェト蜂起(ほうき)の後、アパルトヘイト撤廃に向けた運動を率いてきたANCは、白人政権の打倒を目指して武装闘争を拡大。一方の警察や軍は、秘密部隊などによる鎮圧を図った。

ANC支持者と東部を拠点とする黒人最大民族ズールーを支持基盤に持つ組織インカタとの対立も強まり、お互いの支持者を攻撃し合うなど、黒人同士の争いも表面化した(その後、民主化の動きを妨害しようとした警察がインカタ側に資金を流していることが発覚した)。マンデラが釈放された1990年からの約4年間で、こうした政治暴力に関わる死者は約1万4000人に上り、タクシーの営業許可をめぐる対立では、戦場で使われることの多かったカラシニコフ銃も使われた。

治安悪化の背景には、国際社会から経済制裁を受けた白人政権とアパルトヘイト撤廃を求めてきた勢力の両方が、時に犯罪組織（シンジケート）まで利用し、武器の密輸や相手側に不安定化工作をしかける役割を担わせてきたことも影響している。

南アフリカの安全保障研究所（ＩＳＳ）の１９９８年の報告書によれば、欧米諸国が自国内で犯罪組織の摘発強化に取り組む中、民主化への移行期に権力の空白や警察体制の再編が行われた南アフリカに周辺国から犯罪組織が集結。麻薬や武器、金やダイヤモンドといった資源の取引、盗難車の売買、マネーロンダリングなどの拠点になった。

他のアフリカ諸国に比べて空港や道路、通信といったインフラが整っていたことも、犯罪組織を呼びこむ大きな理由になった。

当時、南アフリカ国内には１９２もの犯罪組織があり、それとは別に小規模なギャングも勢力を拡大していた。

密輸を防ごうにも約５０００キロにおよぶ隣国との国境の管理は難しく、警察や軍の人的不足も重なり、治安の維持は難航。さらに、警察と裏でつながりのあった犯罪組織が大規模な摘発を免れることもあり、１９９６年に犯罪容疑で捜査された警察官は２８３４人に上った。

自宅にシェパードを3匹

毎日新聞のアフリカ担当特派員として2004年4月から08年3月までヨハネスブルクに駐在し、現在は立命館大学教授の白戸圭一(しらとけいいち)は、著書で当時住んでいた自宅の警備体制を紹介している。自宅の外堀の上には電流線が張られ、窓には鉄格子。玄関は二重ドアで、庭には放し飼いのシェパード3匹を飼っていた。

警備会社と契約して就寝時は寝室をのぞいて赤外線センサーを張りめぐらし、侵入者があればセンサーが感知し、銃武装した警備員が急行する仕組みだったという。

南アフリカ赴任前に直接会って話を聞くと、「自宅の窓には強盗の被害防止のために鉄格子が張られていたから、火災になっても室内の窓から避難することはできない造りになっていた。でも、強盗より火事の被害に遭う確率は低いと判断した」と教えてくれた。

「なぜシェパードを3匹も?」

「電流線があっても、自宅が停電になれば使えなくなる。毒が入った餌なんかで殺されても、3匹いればそれだけ時間はかかるから」

そこまでしないと安全は守れないのかと、不安は募(つの)る。実際、当時小学2年生だった彼の長女は友人宅で遊んでいたところ、男５人組に銃で脅（おど）され、現金や車を奪われる強盗に遭遇したという。長女も友人の家族にもけがはなかったのが、唯一の救いだった。

とはいえ、彼が駐在した時から10年近くたち、治安も回復しているはずだ。そう自分に言い聞かせるしかなかった。

それから３ヵ月後、私は日本から約20時間かけてヨハネスブルク近郊の国際空港に到着した。空港で犯罪者に目をつけられ、荷物や貴重品を奪われる犯罪が発生しているとの情報があったため、現地スタッフに迎えに来てもらった。

空港に迎えに来てくれた彼の車は、所々に凹みがあり、ランプのカバーもはがれていた。「何かあったのか？」と尋（たず）ねても、要領を得ない答えが返ってくるだけだった。

舗装されたきれいな道路が続き、少しホッとする。アップテンポの曲をかけながら陽気に運転している姿を横目にしながら、「思ったより大丈夫かもしれない」と思うことにした。

前任者から引き継いで住むことになったアパートは、ヨハネスブルク郊外のサントン地区にあった。日本人駐在員も多く、比較的安全と言われている地区だ。アパートには番犬こそいなかったが、敷地の外壁は電流線で囲われ、出入り口には警備スタッフが常駐。入居者以外の出入りがあると、車両登録証や免許証を確認するなど、厳しくチェックしていた。

ここなら安全だろうと思っていたが、別の日本人入居者からは少し前に敷地内で発砲事件があったと聞かされた。

「え、そうなんですか？」

なるべく平静を装ってみたものの、声が少しばかり震えていたのが自分でも分かった。よくよく聞いてみると、日本人駐在員やその家族の中にも犯罪被害に遭った人がいるらしかった。

たとえば……。

「タクシーで自宅に向かい、自宅コンプレックス（敷地内に複数の一戸建てがある形式の住宅）のゲートをくぐり徒歩にて敷地内を5メートルほど歩いたところ、真後ろから銃声が聞こえた。後ろを振り返ると車から出た2人組の男がセキュリティオフィス（警備員）に銃を発砲しているのを確認した」

「深夜、就寝中、被疑者は窓に設置された鉄格子をこじ開けて、被害者宅に侵入し、パソコンや財布が入った鞄（かばん）を盗んだ」

自宅アパートの外壁に張り巡らされた電流線（著者撮影）

「午後7時頃、信号待ちのため停車中のところ、前車ドライバーに対して拳銃を突きつけている強盗団を視認。その直後、自車の後部ドアが共犯者のうちの一人に開けられそうになったためその場から急きょ離脱した」

これらの事例は、南アフリカにある日本大使館が発行した「南アフリカ滞在安全の手引き」(2019年11月版)に書かれている日本人が出くわした被害の一例だ。37ページにおよぶ手引書では、過去の犯罪事例や注意点が記されている。

私の身の回りでも、銀行のATMで現金を奪われたり、交差点で銃を突きつけられそうになったりした、などという体験談を数多く聞いた。日本人の被害ではないが、私の自宅から10分もしない距離で、偽物(にせもの)のロレックスの時計を身につけていた人が強盗集団に狙われて殺されたという事件まで起きた。

大使館の手引では、外出時の注意点として、危険だと言われている場所には絶対に近づかない、夜間の外出は必要最小限にとどめる、昼夜を問わず、一人歩きは絶対にしない、などとも書かれている。こうした手引を守り、比較的安全な地区に住めば、ある程度の安全が保たれるのは確かだ。

この国には、新型コロナウイルスが流行する前まで約１５００人の日本人が住んでいた。アフリカ各国で暮らす日本人の数としては最多だ。ヨハネスブルクやケープタウン、ダーバンといった都市部周辺には、ゴルフ場や映画館、遊園地、カジノといった娯楽があるし、週末には各地でマーケットも開催され、多くの人でにぎわっている。

新型コロナウイルスの流行前には、日本を含む海外から年間に１０００万人もの観光客が訪れ、ゾウやキリンといった野生動物を観賞していた。

日本の外務省が発表している治安情勢についての危険情報でも、ヨハネスブルクなどの主要都市においてレベル１「十分注意してください」になっているのみで、地方については記載されていない。東南アジアにあるフィリピンの首都マニラやリゾート地として知られるセブ島と同じレベルだ。

これがレベル2だと、「不要不急の渡航は止めてください」となり、最大のレベル4では「退避してください」となる。アフリカ各国だと、２０２1年1月時点で過激派組織による襲撃事案が起きているナイジェリア北東部や陸上自衛隊の施設部隊が一時期派遣されていた南スーダンの首都ジュバ周辺以外の地域などが該当する。南アフリカやヨハネスブルクが「世界一治安が悪い」という表現は、誇張（こちょう）されたものだと言えるだろう。

ただし、この国には、日本のようにどこにでもコンビニエンスストアがあるわけではない。徒歩10分圏内にあるスーパーマーケットに行くのでも、車で移動したほうが無難だ。専用の運転手をつけている日本企業の駐在員もいたが、私の場合、ヨハネスブルク中心部など治安が悪いとされる地域に行く時以外は、自分で運転していた。

南アフリカの交通ルールは、日本とほとんど変わらない。右ハンドル車が多く、左車線を走るのも同じため、日本で運転していた人ならそこまで難しくはない。大きく違う点と言えば、大雨が降ると工事の甘かった道に所どころ凹みができることだ。

運転技術を高めるのにはうってつけかもしれないし、近所の住民たちが、どこからか運んできた土を持ってきて凹みを修復してくれるので、そんなに心配はいらない。彼らは道路の横に立ち、通行するドライバーたちに「労働賃」をもらっていた。

もちろん、運転中は車の窓を閉めて、ロックも怠(おこた)らない。数秒あれば被害に遭ってしまう。交差点や駐車場のゲートでは、付近に不審な人物がいないか常に警戒していた。

後ろから付けられていないか確認するため、何度もバックミラーを確認し、夜に運転する用があればなるべく赤信号で停まらないよう、少し遠目から減速して青信号になるようにスピードを調整していた。少しでも怪しいと感じた車や不審者がいれば、遠回りやUターンをした。

万が一被害に遭ったとしても、被害額を最小限にするため、財布は子ども用のものを使い、現金は３００ランド（約２０００円）程度とクレジットカード1枚しか入れていなかった。それとは別に、パスポートや別のクレジットカード、少額の現金は腹巻きにして身につけていた。

一瞬の出来事

高級な衣料品店や宝飾品店には赴任中一度も行かなかった。日本のユニクロや現地の衣料品店で買った襟（えり）付きのシャツとズボンが定番の服装だった。安全だとされる地区で外を歩いている時も、日本にいた時よりも速いペースで首を振って周りを常に見るようにしていた。

日本人駐在員の中には家事全般を頼むメイドを雇う家庭もあったが、「よほど信頼の置ける人でない限り、強盗を企（くわだ）てる犯罪者がメイドに小遣いを渡して買収する恐れがある」と言う人もいて、雇用はしなかった。

後から振り返ると警戒しすぎだったかもしれないが、南アフリカだけでなく、赴任中に訪れた他のアフリカ25ヵ国も含めて、金品を奪われる経験は一度もなかった。

ただ、一度だけ、犯罪被害に遭いそうになったことはあった。

それは、南アフリカ代表主将のシヤ・コリシの故郷でラグビーワールドカップの決勝戦の取材を終え、予約していたホテルに向かおうとした時だった。

迎えに来た配車アプリUberの車の助手席に乗り、会場の外に出た直後、地元の若者たちが突然ドアを開けてきて私の携帯電話を盗もうとしてきたのだ。

普段の私なら、助手席をロックして、周りを注意深く気にしていたはずだ。パブリックビューイングの会場内にいた警備員にも、「あなたのような外国人はすぐに犯罪者に狙われる。絶対、一人でこの街を歩くな」と釘を刺されていた。だが、優勝した喜びと原稿の締め切りが重なり、その忠告をすっかり忘れてしまっていた。

一瞬の出来事に動揺する私をよそ目に、男性運転手（26）は機転を利かし、ドアが開いたまま車を急発進させた。右から走行してきたワゴン車と衝突しそうになるが、急ブレーキをかけて何とか停まる。慌てて左に曲がったものの、そこは道路の反対車線。クラクションを鳴らしながら走り、難を逃れた。

バックミラーを確認した後、運転手はため息をついた。

「びっくりしただろうけど、ここまで来ればもう大丈夫。これがこの国の現実さ。経済は低迷し、仕事がない人も多いから、犯罪に手を染める人もいる。君のような外国人なら格好の標的になる。だけど、全員が悪人ではないことは分かってほしい」

「ほとんどの人がフレンドリーだと知っているから大丈夫だよ。まあ、ちょっと驚いたのは確かだけどね」

そう返した後、「格差がもう少し解消し、治安がよくなれば、南アフリカは本当に最高の国になるんだけどね」と続けた。

お世辞でも何でもなかった。問題はいくつもあるにせよ、私はこの国での生活が気に入っていた。温暖な気候、季節によって彩りを変える景色、日本の桜を思い出させる紫色に染まるジャカランダの木、そして気さくにあいさつを交わし、陽気な人が多い国民性。日本との距離が近ければ、もっと多くの日本人に訪れてほしい国だと思っている。

ただし、それを現地の人に言うと、「そう思うのは、君が日本人で、ある程度のお金を持っているからさ」と返されることがあった。

経済的に貧しければ、日々の食事も満足に取れず、自宅に水道も付いてない。約３人に１人は定職に就けず、私が住んでいた賃貸アパートに最初から付けられていた有料のテレビチャンネルもぜいたく品だ。

運転手は、「優勝した今日くらいは、嫌なことは考えずに喜ぼうじゃないか」と言った。その言葉は、私に向けられたものなのか、それとも自分自身に対してつぶやいただけなのかは分からなかった。

彼は「この後、人気のサッカーチーム同士の試合があるんだよ。仕事は切り上げてそっちを見ようと思っているんだ」と話題を変えていた。

別れ際、感謝の意味を込めていつもより多めにチップを渡し、運転手と別れた。歓喜の瞬間に酔いしれ、浮かれていた気分は、すでに吹き飛んでいた。

殺人事件が1日58件

「世界一」ではないにせよ、どれほど南アフリカの治安は悪いのか？

地元警察が出している犯罪統計によると、２０１９年度に国内で起きた殺人事件は２万１３２５件。１日当たり58人が殺されていることになる。サッカーのワールドカップを自国で開催した２０１０年度は1万５８９３件まで減らしたのに、そこから毎年、殺人事件が増えている状態だ。これとは別に、殺人未遂事件も1万８６３５件起きており、高止まりしている。

２０１９年に日本で起きた殺人事件（未遂を含む）は９５０件で、１日当たり２・６人にとどまっている。南アフリカの人口は日本の半分以下の約５８００万人だということを考えると、南アフリカの多さが際立つ。

国連の犯罪調査統計を見ても、南アフリカでは人口10万人当たり34人が殺人事件の被害に遭っている計算になる。紛争地などでは統計が正確に取れない国はあるが、世界全体でみても10位以内に入るほどの多さだ。

世界各国の平均は約７人で、日本は０・３人。ちなみに、世界で最も殺人事件が多いとされる国は中米のエルサルバドルで、82・８人が被害に遭っている。

南アフリカでは、酒がらみのけんかやギャング関連の殺人事件が多く、観光で来ている日本人が被害に遭うリスクは比較的低い。ただ、他の犯罪が多いのは確かで、１年間で性犯罪（レイプや性的暴行など）は５万３２９３件、運転手らに銃を突きつけて車を奪うカージャックが１万８１６２件、家屋の強盗が２万１１３０件も起きている。強盗犯は現金やパスポートといった貴重品以外に、テレビやピアノといった大物まで奪い去っていく。

被害に遭うのは我々のような外国人だけではない。地元住民も標的になる。

大学生のリアホ・バロイ（28）は2020年3月、恋人と車で帰宅中、強盗被害に遭った。場所は各国の大使館が立ち並ぶプレトリア近郊。深夜1時頃だった。交差点の信号待ちをしていると、銃を持った18〜25歳の5人組の男に車の周りを囲まれた。

「車から出ろ！」

逃げ場はなく、抵抗すれば隣にいた恋人がレイプされるかもしれない。彼らの指示に従うしかなかった。暗闇で容疑者の顔はよく見えなかったが、同じような方言を話していたため、外国人ではなく、地元出身者による犯行だと思った。

男たちは車を奪って走り去り、車内に置いていた財布、自宅の鍵、カード、携帯電話も盗んでいった。2人は深夜の交差点に取り残されたが、たまたま付近を走ってきた車の運転手に助けを求め、最寄りの警察署に連れていってもらった。

警察官に電話を借り、唯一番号を覚えていた母親の携帯電話を鳴らし、契約していた車両保険の会社に被害を伝えた。数時間後、会社から連絡があり、位置情報サービスを使って車の場所を突き止めたという。

現地に向かうと、郊外に自分の車が駐車されていた。財布などはなくなっていたが、スペアキーで車を取り戻すことができた。

「警察から、その後の捜査がどうなったか連絡はない。でも、少なくとも車を取り返すことができて幸運だった」

ただ、彼が犯罪被害に遭ったのはこの時だけではない。

19歳の時にも、友人と夜に外出中に刃物を持った４～５人組の男にバッグなどを奪われたというのだ。警察に被害届を提出したが、この時も容疑者たちを捕まえたとの連絡はなかった。

「この国では容疑者が逮捕されることはほとんどない。警察はただ被害届を受理するだけで、真剣に捜査してくれない。何もなかったかのように忘れてしまうんだ。これで犯罪がなくなるわけはないだろ」

彼の意見は、南アフリカ国民の多くが感じているものかもしれない。逮捕される犯罪者はいるのだが、それ以上に犯罪数が多い。白人にせよ黒人にせよ、出会った人に犯罪被害に遭ったことがあるか聞いてみると、多くの人は本人もしくは近しい人が何らかの被害に遭った経験を語ってくれた。

犯罪者集団は、人種や国籍には関係なく、襲いかかってくるのだ。

犯罪に走る3つの理由

アパルトヘイト撤廃から約30年がたった南アフリカにおいて、なぜ犯罪に手を染めてしまう人が多いのか？

１９９７年に最大都市のヨハネスブルクでＮＰＯを設立し、犯罪者の更生に向けた支援もしているレスリー・アン・バン・セルム（65）に疑問をぶつけると、主に3点の理由があると教えてくれた。

「一つ目は、子どもたちが厳しい環境で生まれていることにある。正確な統計は分からないが、少なくとも6割の子どもたちは、貧困状態の家庭に生まれている。ほとんどの場合、父親は家庭にいないか、いても父親として振る舞わず、母親が苦労している。家庭内暴力も存在する。愛情を感じずに育ち、何に価値があるかも分からなくなる」

「二つ目は、家庭環境の大変さを補うだけの教育システムがないことだ。いじめや暴力が横行している学校も少なくない」。地元メディアは、公立の学校によっては８００人の生徒に対して11人の教員しかいなかったり、複数の教員が生徒と性的関係を持ったりするなどの問題を報じている。生徒が教室にいても教員不足で授業ができず、生徒は寝ていたり時間をもてあましていたりする学校もある。

「三つ目は、子どもたちが家庭や学校以外に、何かを学んだり自分の能力に気づいたりするような場所がないことだ。何をするでもない退屈な時間ばかりあると、ギャングに誘われて入ったり、薬物に依存したり、犯罪に手を染める子も出てきたりする。幼少期に身についたゆがんだ価値観を変えるのは本当に難しい」

確かに、私が旧黒人居住区のソウェトで取材していると、注射器が道ばたに複数落ちていることがあった。現地住民に「この注射器は何用なのか？」と聞いてみると、「薬物だね。この辺りでは簡単に手に入るし、10代の子どもたちも依存してしまうケースが多い」と話していた。

ヘロインなどさまざまなものを混ぜ合わせた「ニャオペ」と呼ばれる薬物も出回っている。

ソウェトに住む運転手のアーネスト・ニェペ（37）は「ブルートゥースって言葉を知っているか？」と聞いてきた。「俺はやっていないけど、この辺りでは1袋30ランド（約210円）ほどのニャオペが人気だ。タバコみたいに紙に巻いて吸うやり方もあるし、粉を水に溶かして注射器に入れて使用する人間もいる」

彼によれば、ニャオペを注射した人の血を抜き取り、別の人間に注射し、快感を得ようとするやり方がブルートゥースと呼ばれているとのことだった。本来の意味は、スマートフォンなどのデジタル機器を無線で相互につなげる無線通信規格なのだが、いつからか薬物の世界でも用いられるようになったらしい。

日本人の感覚からすれば安い買い物かもしれないが、職にありつけない貧困層にとっては高価な買い物のため、購入費用を浮かすためにこうした方法が採られることもあるという。

10~35歳の人を主な支援対象にしているというセルムは、経済的に貧しい家庭で10歳に満たない子どもたちが性行為におよんだり、目上の人間から性行為を強制されたりしている事例が多いとも教えてくれた。10畳にも満たないトタン屋根に囲われた民家で、8~14人ほどの家族と一緒に暮らす子どももいて、夜になると親や年長者が性行為を始め、性的なことに興味を持つようになるというのだ。

「そうした環境で育った子どもたちは、性行為をすることが当たり前のような感覚になってしまう。6歳や7歳の子どもたちが学校で性的虐待を受けることもある。彼らの考えや価値観、態度などを変えていくためには、これから数十年はかかるだろう」

気が重くなるような言葉ばかり続く中、セルムはため息をついた。「２００８年に世界的な経済危機が襲った時、南アフリカの刑務所に入った受刑者の再犯率は85％だった。私たちは犯罪を防止するために地域や家庭に入って支援をしているが、傷口に絆創膏（ばんそうこう）を貼っているような状況でしかない」

ショッピングモールで買える銃

セルムの話を一緒に聞いていた現地スタッフの表情も曇っていた。

「どうやったら安全を守れるのだろうか？」

私が取材後に話しかけてみると、「私は持っていないけど、護身用で銃を持っている人もいますよ。バーを経営する私の父親も持っています」と教えてくれた。

銀行の周りなどで銃を持った警備員を見たことは何度もあるが、銃を持っている人がこんなにも身近にいるとは驚いた。話を聞くと、それなりに簡単に所有許可ももらえるということだった。試しに、銃ショップをインターネットで検索してみると、朝日新聞の現地事務所から車で15分圏内に5店舗もあることが分かった。

そのうちの一つは、ショッピングモールの中に入っていた。足を運んでみると、スーパーマーケットや薬局、衣料品店、銀行が並ぶ一角に店を構えていた。隣の店は、学校の制服を売る衣料品店。国内に何店舗もあるスーパーマーケット「ショップライト」や美容院も並んでいた。あまりにも不釣り合いな場所にあると感じ、最初は素通りしてしまうほどだった。

出入り口は、店員がボタンを操作して扉を開け閉めする方式だったが、思ったよりも気軽に入れてしまう。店内では、ピストルや狩猟用のライフル銃、銃弾、サバイバルナイフが陳列されていた。

世界各国で人気があるとされるグロック社製のピストルは3500ランド（約2万4000円）から売っていた。カジュアルな格好をした体格のいい白人の店員3人がこちらを見つめてくる。

「いらっしゃい。何が欲しいの？」

「外国籍で居住許可があるんだけど、私でも銃を持てるだろうか？」

「時間はかかるけど、持てないことはないよ。警察署に銃器担当者がいるから、その人に許可をもらう必要があるんだ。それと、銃を保持するためには訓練も必要だ」

「結構大変なんだね」

「日本人なら、ヤクザのように見えないようにして、これでもかって下手に警察官に頼むんだな。まあ、君ならヤクザには見えないだろうけど」

そう言って、店員たちは笑った。

私の目の前に立っていた店員の一人が突然、ズボンのポケットから自分の銃を取り出した。あまりにも気軽に見せてくるので、のけぞってしまう。

「あくまで護身用だ。自分からは使わない。犯罪者に狙われそうになった時だけ使うのさ。護身用で買い求める人は多いよ」

店内には他に2組の客がいた。私が店の外に出ると、20代前後の男女が入店していった。あまりお近づきになりたくない店だが、需要はそれなりにあるようだった。

ただし、複数の外交官や政府関係者に話を聞くと、「銃を持っていたとしても、いざ強盗集団に襲われれば立ち向かうのは難しい。逆に、持っていた銃を奪われて、別の犯罪に悪用されてしまうケースもある」ということだった。

警察トップへの質問

地元警察がこの現状をどう思っているのかを聞こうと、いくつかの地元メディアの記者に交ぜてもらい、警察大臣のベキ・ケレに質問をぶつける機会を得た。

「日本人の記者です。南アフリカのヨハネスブルクに住んで3年近くになります。この国の犯罪率はずっと高く、治安は悪いままです。なぜ問題を解消できないのでしょうか？」

こうした時の質問は、簡潔かつ直球と決めている。経験上、まどろっこしい質問をしても、きちんとした回答が返ってこないことが多いからだ。

彼は過去の記者会見で、「1日に多くの人が殺されている南アフリカの治安は、戦場に近い状態だ」と話していた。危機感をあおるような物言いをする彼なら、問題の背景を語ってくれるのではないかと期待していた。

ケレは、間を置かずに答えた。「私が確信している大きな理由は、（警察官より）犯罪者のほうが多いからだ。だから犯罪が多くなる」

警察トップとしての最初の答えが、ほとんど白旗をあげるような発言だったことにまず驚いた。ある意味、潔い（いさぎよい）と言っていいのかもしれない。

「もしあなたが日本から来ているのなら、いくつかの法律がこの国とは違うのだ。たとえば、日本では一般の人々は銃を所持した暮らしはできず、治安部隊が所持しているだろうけど、南アフリカは違う。どんな市民だろうと銃を所有できるのだ。最初は合法でも、盗まれたりすれば、違法なものになる。我々は、違法な銃が国内各地に出回っていることを認めざるを得ない」

この取材のすぐ後、地元警察は２０２１年１月まで、違法所持の銃を警察に引き渡した者は処罰しないという政策を始めた。大きな効果が出るかは不明だが、違法所持から合法的な所持に切り替える人が増えれば、銃を使った犯罪が減ると期待されている。

南アフリカで犯罪が多い理由について、彼はこうも言った。

「（島国の）日本と南アフリカでは、国境管理の問題が違う。私の認識が間違っていなければ、この国は６つくらいの国と国境を接している。（ビザを持たない）違法な移民もやってくるし、いくつかの国境では警察官らが管理するのも難しい」

他国からやってくる移民らによって、治安悪化の改善が難しくなっていると言いたいのだろう。ただし、外国人による犯罪が全体のどれほどを占めているかは明かさなかった。

「世界中で多くの犯罪が起きている。メキシコシティーなどの都市部でも犯罪が多いのは大半の人が知っているはずだ。犯罪は国際的な現象であり、残念ながらこの国も例外ではない。だからこそ、凶悪犯罪や女性への性的暴行などの犯罪撲滅に向けて尽力している」

彼の意見を読んだ読者の方は、警察官を増やせば治安の問題が解決するのではないかと思うかもしれない。ただ、不法移民や交通違反を取り締まるはずの警察官が、賄賂(わいろ)を求めてくる事例もある。

実は、私自身も被害に遭いそうになった一人だ。

逮捕寸前

平日の午後10時過ぎ、職場から自宅に車で帰宅途中、赤信号で停まった。対向車線には1台のパトカー。これなら、強盗被害にも遭わなくてすむと思った矢先、パトカーに乗っていた警察官2人が近づき、声をかけてきた。

窓を少し開けると、「飲酒検査をしている。機械に息を吐いて」と言われた。

直前まで一人で仕事に追われ、酒を飲む暇はなかった。自信満々で指示通りに息を吐いた。

すると、「あー、飲酒しているね、あなた」。

「え？　なんて言いました？」

「ほら、この機械に100％って書いているでしょ？」

「いやいや、あり得ないですよ。飲んでいません」

もう一度、息を吐く。またも、１００％。

「車から降りて。パスポートも見せて」

翌日は朝から出張の予定だった。面倒くさいことになったと思いながら、車から降りて素直にパスポートを見せる。ビザは有効。違法な点はない。だが、パスポートを返してくれない。

「まずパスポートを返して」と頼む。

「待て。飲酒運転の疑いで逮捕するから」

「え？　だから、飲んでないって」。思わず、語気が強くなる。

「いまから警察署に連れて行くから。助手席に乗って」

飲酒運転をしていないことに自信はあったが、「逮捕」という言葉を聞いて、少し動揺してしまう。警察官一人が運転席に乗って車を発進させ、もう一人はパトカーで後ろから付いてくる。

運転をしていた警察官の男は、「逮捕されたら数日は留置場から出られない。それでもいいのか？」と聞いてきた。

「よくないよそりゃ」

「だったら分かるだろ。どうすればいいのか……」

ん？　どういうことだ？　この警察官、何を言っているんだ？

少しずつ冷静になった。賄賂を払えば許す、ということだと気づいた。

そもそも、「飲酒１００％」という機械の表示も怪しい。私は記者人生の中で、６年近くは事件担当をしていた。日本であれば、飲酒運転の判断は呼気1リットル中のアルコール量で判定する。南アフリカの技術が進んでいたとしても、１００％という表示はあり得ないのではないかと感じた。

「分かったよ。警察署に連れて行け。そこで話そう」

そう繰り返した。警察官は、明らかに面倒くさそうな表情になった。車は赤信号で停まった。すると、警察官は「もういい」と言って車から降り、隣のアジア系の男性が運転する車に近づいていった。

安全の手引再読

助手席に取り残され、あっけにとられていたが、夜遅くに街頭にたたずむのは危険だと思い、運転席に座り直して急いでエンジンをかけた。無事に自宅に戻った後、私の代わりに職務質問を受けることになったアジア系男性のことを考えた。

無事に逃げられただろうか、それともお金を払ってしまっただろうか。申しわけない気持ちで、しばらく眠れなかった。

以来、警察車両を見るたびにあの出来事を思い出した。何人かの地元の知人にその時の話を伝えると、「私も賄賂を求められた。金が手元にないと言うと、銀行のＡＴＭまで付いてこられた」と話す人もいた。

もちろん、真面目に仕事をしている警察官がいるのも知っているし、全員が腐敗しているわけではない。気がやさしく、正義感を持った職員もいるのは確かだ。

警察の発表によれば、２０１９年３月時点で国内には19万２２７７人の警察職員がいる。年収はレベルによって15万１０００ランド（約１０５万円）～１２８万４０００ランド（約９００万円）までとさまざまだ。

最も職員が多いレベル3～5だと、平均給与は28万６０００ランド（約２００万円）となっている。給与面だけ見れば、そこまで悪くはない金額だが、犯罪の多さによる仕事の危険性に加え、アパルトヘイト時代に抑圧する側だった警察への不信感は国民の間に根強く残っており、人気の職業とは言いがたい。

もう一度、日本大使館が発行している安全の手引をひもときたい。

「南アは日本と比較すると治安状況が非常に悪く、また、犯罪の取り締まりや捜査をする治安当局の能力や信頼性も期待できるものではありません。様々な面で日本国内とは勝手が異なりますので、『自分と自分の家族の安全は自分で守る』という強い心構えを持って安全対策に努めることが大切です」

3年あまりの南アフリカ赴任を終えた後、私は改めて立命館大学教授の白戸と会った。

「南アフリカほど、治安で損している国はない」

それが2人の共通する認識だった。治安がよければ観光客が増え、より多くの企業が拠点を置き、投資してくれる可能性は増す。その潜在力はあるはずだった。

白戸は南アフリカの治安問題について、「格差などの要因以外にも、時の政権が差別を肯定し、暴力を肯定してきたアパルトヘイト時代の影響で公共道徳や倫理体系というものが崩れてしまったのかもしれない。殺人や強盗といった犯罪はハードルが高くても、企業内での経理（金銭）のちょろまかしは多数起きている」と語った。

アパルトヘイト時代を知らず、さげすまれた経験を持たない若い世代が社会の中心になれば希望もあると言うが、南アフリカの経済が低迷し、国家予算も大きく膨れあがることが期待できないいま、治安の問題をすぐに解消するのは難しいだろう。

第4章　なぜコロナだけなのか?

民主化後、最大の危機

２０２０年3月15日夜、南アフリカの大統領、シリル・ラマポーザは緊急のテレビ演説を行った。彼の演説は何度も見聞きしてきたが、いつになく表情は硬かった。「世界は、過去１００年間で経験したいかなるものよりも重大な医療面での緊急事態に直面している」「（新型コロナ）ウイルスが拡大する規模と速度を踏まえると、いかなる国もその疾病から免れられず、厳しい影響を受けるだろう」

ラマポーザは、災害対処法に基づき国家的災害事態を宣言し、感染防止策に乗り出す考えを示した。中国で年末に感染が判明して世界各地に広がった新型コロナウイルスの猛威が、アフリカの地まで広がったことを意味していた。

私はこの演説の前日、アフリカ西部のブルキナファソ、東部のエチオピア、ケニアという3ヵ国への出張を終えて、南アフリカに戻ってきたばかりだった。出張前はいずれの国でも感染者は確認されていなかったが、滞在中やその国を出国した直後に判明していた。

エチオピアでの初めての感染判明者は、ブルキナファソからエチオピアに渡ったという48歳の日本人男性だった。私の渡航ルートと似ていたため、取材でお世話になった人たちから「お前じゃないよな？」と確認の電話やメールが相次いだ。「老けているように見えるかもしれないが、私はまだ38歳だ。だから安心してくれ」と返していた。

３月13日に初めての感染者が判明したケニアでは、スラム街で取材していた時に地元住民の一部から「コロナ！」とからかわれた。私を中国人だと思ったのだろう。ただ、街中でマスクをしている人はおらず、まだそこまでの切迫感はなかった。

そもそも、アフリカ各国でマスクをつける文化のある国は少ない。ブルキナファソではバイクや自転車に乗る人が布マスクをつけていて、「新型コロナの感染防止策か？」と思ったら、「サハラ砂漠の砂を吸いこまないようにするためだ」と言われた。

南アフリカでも当初、薬局やスーパーマーケットを回っても、マスクはなかなか置いていなかった。知人から「マスクを売っていた」と聞いた日用品店を訪れて、「顔用のマスクはありますか？」と店員に尋ねてみると、日本のお祭りで売っているような仮面売り場に連れていかれてしまった。

スパイダーマンの仮面をしても感染防止にはならないはずなので、「ありがとう。助かったよ」と言って店を出るしかなかった。花粉症やインフルエンザの予防に広く出回っている日本と違って、アフリカの国の人々にとって、マスクはそれだけなじみのないものだった。

南アフリカでは3月5日にイタリアから帰国した38歳の男性の感染確認を皮切りに、欧州各地から戻った人たちの感染が相次いで判明した。世界保健機関（ＷＨＯ）は3月11日、世界的な流行を意味する「パンデミック」と認定し、各国に対策の強化を訴えた。

その4日後にテレビ演説をしたラマポーザは、感染のリスクが高い国と認定したイタリア、イラン、韓国、スペイン、ドイツ、アメリカ、イギリス、中国から来た外国籍の入国者を3月18日から禁止し、学校への通学も停止した。１００人以上の集会の禁止や国境の一部閉鎖なども打ち出した。当時、国内の感染者数は61人のみだったが、「優先すべきは、南アフリカ国民の健康と福祉であり、感染を最小化して感染者の適切な治療を確保することである」と国民に訴えかけた。

「しばらく在宅勤務にしよう」

大統領の演説後、私は現地スタッフに伝えた。現地の朝日新聞の事務所はヨハネスブルクのリボニアという地区にある。他にも数十もの企業が入居する貸しビルの一室は20平方メートルほどしかなく、私と現地スタッフが一緒に働けば感染リスクが大きいと判断したのだ。体調管理も重要な仕事だ。出張の疲れが残っていたということもあり、翌日に予定していた対面での取材は延期した。

外出禁止を言い渡されて

南アフリカ政府はその月の26日深夜から全土でロックダウン（都市封鎖）を開始した。日本のような外出の自粛要請とは違って、国民の不要不急の外出は禁止され、病院やスーパーマーケット、銀行、ガソリンスタンドなど、「日常生活で不可欠」とされた店舗以外は強制的に閉鎖された。

企業の多くは休業かテレワークになり、散歩やジョギングといった行為も禁止された。国際線も前日になって停止されることが発表され、日本に戻ろうとしていた駐在員やその家族、南アフリカをたまたま訪れていた観光客が帰国できなくなった。

翌日朝、街の様子を見ようとビジネス街のサントン地区周辺を訪れてみた。普段は朝夕に渋滞の列が続いた場所に車や通行人はおらず、大勢の人でにぎわうショッピングモールも人影はまばらだった。ゴーストタウンと言えば大げさだが、それに近い雰囲気だった。

スーパーマーケットに立ち寄ると、出入り口で店員から消毒液をかけられた。品ぞろえは７割ほどで、棚に商品がまったくないエリアもあった。レジ担当の店員は客の対応が終わるたびに、そばに置いていた消毒液を手に吹きかけていた。

ただ、感染防止策の徹底より気になったのは、普段はあちこちの信号付きの交差点に立っていた「主」が消えたことだった。感染が流行する前は、よれた服を着て信号待ちの運転手に食事を求める男性や、洗剤入りの水で車の窓ガラスを洗って代金を求める若者、得意のダンスを披露してお駄賃をもらおうとする子どもたちがいた。

治安維持のために配置された軍兵士や警察は、外出制限を守らない住民に向かってゴム弾を放つなど、厳しい取り締まりで臨(のぞ)んだ。地元当局は3月27日夜、各地で外出制限令を破ったとして一晩で55人を逮捕したと発表していた。

突然の外出禁止を言い渡された人々は、どこに行ったのか？

支援団体や自治体、警察が4月9日にサントン地区周辺で実施した食料配給に、彼らの姿はあった。草が生い茂った広場に集まったのは約１０００人。マスクをつけている人は1割にも満たなかった。警察のパトカーやトラックで運ばれた食料品が届くと、笑みがこぼれた。

「感染しないように間隔を空けて！」

銃を持った警察官が大きな声で指示していた。だが、誰も言うことを聞かない。他の人

コロナ禍で配給の列に並ぶ住民たち（著者撮影）

に割りこまれないように、前に並ぶ人間と体をくっつけていた。

無理もない。彼らの多くはシャックに住んでいる。定職がある人は皆無に近い。自宅に水道は付いておらず、感染防止をしたくてもセッケンを買う余裕もない。万が一にも配給を受け取れなければ、今日明日の食事がないかもしれないのだ。

しばらくすると、警察官だけではなく、迷彩柄の服を着て本格的な銃を持った治安部隊の隊員が駆けつけた。彼らがにらみを利かせると、ようやく距離を空けるようになった。

私は、住民たちの列の後方に目をやった。支援団体の人たちが乗ってきた車が何台も停められていた。ランドクルーザーやBMW、ベンツ、アウディ、フォルクスワーゲン……。日本メーカーの小型車で取材に来た私も、雨風をしのげ、大型冷蔵庫にある程度の食料品を保管できるアパートに住んでいた。決して偉そうなことを言える身ではないが、その光景は経済格差が世界有数のこの国の現実を表しているように思えた。

路上での出来事

食パンやトウモロコシの粉、豆、飲料水などを受け取ったペギー・ムシャバ（56）に声をかけると、「支援は本当にありがたい。でも、6人家族なので、2日もすればなくなってしまう。少しずつ使っていくしかない」と嘆いた。

彼女の家もシャックだった。夏場は熱がこもり、冬場はすきま風が入り、寒さがこたえる。夫は無職で、娘からの仕送りのほか、彼女自身が交差点で信号待ちの運転手からお金や食事をもらって生計を立ててきた。外出を控えるために食料を備蓄したくても、金銭的な余裕はない。「感染するのが怖いからずっと家にいるしかない。とにかく外出禁止措置が早く終わってほしい」

別の列に並んでいたエルデス・マロネク（37）も、空き缶やプラスチック製品を拾って稼いだお金で２人の子どもを育ててきた。学校が休校になったことで、子どもたちは給食をもらえなくなり、空腹が続いていた。「感染防止はもちろん大事だけど、このままだとコロナに感染する前に貧困で死んでしまう」

取材を続けようとしていると、私を見かけた住民の一人が「少しでいいから金をくれ」と叫んできた。

２週間後、事態はさらに悪化しているように見えた。私がマスクを二重につけ、自宅から少し離れたスーパーマーケットに車で向かっていると、10人近い男性たちが車道の脇に立っていた。

「何でもいいからくれないか。生きていけない」

トタンでできた彼らの家は、数十メートル先に見えた。外出制限違反を取り締まる警察の目を気にしつつ、自宅近くで物乞いをしていたのだ。

普段の私なら、見て見ぬふりをしただろう。1人にお金をあげた後に集団に囲まれたことがあったし、現地の知人からは、物乞いを装った人から貴重品を奪われそうになった経験を聞かされたこともあった。

ただ、感染拡大によって地元住民の働き口が大きく減ったのも確かだった。ワゴン車で通勤客を乗せるドライバーや野菜などを売る露天商など、生活が不安定な人々が大きく収入を減らした。

何度も紹介してきたように、感染流行前から南アフリカ国内の失業率は約30％もあり、黒人の若者の失業率になると50％前後になるとも指摘されていた。新型コロナの感染が拡大し、他の国と比べても厳しい感染防止対策が取られたことで、37万〜100万人の雇用が失われるとの試算や世界恐慌以来の経済の落ちこみになるとの予測が出ていた。

私は、スーパーで余分に購入した食パンや飲料水、サラミやお菓子などを物乞いする男性の1人に差し出した。「Stay Safe（安全を）」と言うと、彼は「ありがとう。神のご加護を」と返した。記者として、もう少し彼の生活状況を聞きたかったが、お互いに感染リスクを高める恐れもあり、会話はそれだけにとどめた。

彼は、近くにいた仲間と食料品をすぐに分け合っていた。困った時はお互いさま。特に黒人家庭では、その精神が強い。親戚や友人、近所の住民らと助け合うのだ。正直なところ、どこまで役に立ったのかは分からない。

「自分は何かをやった」と満足感を得たいだけだったのかもしれない。ただ、誰かの胃袋が少しでも満たされるなら、何もしないよりはましかなと思い、外出する際は同じことを繰り返した。

ロックダウンの理由

厳しい感染防止策に踏み切ったのは、他の多くのアフリカ諸国も同じだった。

各国政府は、感染者が少ない段階から入国制限や国際線の運航停止などの対応策を発表。２０１４～15年にエボラ出血熱が流行したアフリカ西部のシエラレオネは、新型コロナウイルスの感染者が確認されていない段階で非常事態を宣言。アフリカ東部のケニアでは、治安部隊が営業を続けていた露天商らに向かって催涙弾を放つなど、激しい措置を取ることもあった。

感染国からの入国を制限する国は、３月20日時点で54ヵ国中約30ヵ国に上った。感染者が確認された国は同じ日までに36ヵ国に達し、１週間前に比べて20ヵ国以上も増加。欧米諸国などから入国した人の感染が多く、４月５日になると約50ヵ国が国境の封鎖や国際線の運航を停止した。

アフリカの大半の国が迅速な対応を採ったのは、脆弱な医療体制が理由だ。ロイター通信は５月、人口１５００万人のチャドは集中治療室のベッドが10床しかなく、エリトリアやギニアビサウ、ジブチは人工呼吸器が１台もない状態だと報じた。設備は整っていても医師や看護師が不足している国は多く、人口１万人当たりの医師数が１人に満たない国は21ヵ国もあった。アフリカ南部のジンバブエでは、防護服やマスクの不足から、公立病院の医師らがストライキを実施するなど混乱も起きた。

さらに、ＷＨＯの説明では、サハラ砂漠以南のアフリカ諸国では当初、新型コロナウイルスの検査ができる機関は南アフリカとセネガルの２ヵ国にしかなかった。アフリカ東部エチオピア出身で、ＷＨＯ事務局長を務めるテドロス・アダノムは「発見されていないケースや未報告のケースがあるだろう」とし、各国にさらなる感染拡大に備えるよう求めた。

主要20ヵ国・地域（G20）の首脳たちも、「アフリカの保健システムを強固にすることが世界的回復への鍵だ」との声明を出した。

医療体制以外にも、都市部やスラム街といった人口密集地帯があるのも懸念の一つだった。手狭な自宅に10人以上の家族が一緒に暮らすような環境は、基本的な感染予防策である距離を取るのが難しい。自宅に水道やセッケンがない家庭も多く、ひとたび感染者が出れば爆発的に感染が広がってしまう恐れがあった。

私が訪れたナイジェリアやケニアのスラム街では、トタン製や木製の家がぎっしりと並び、数十世帯でトイレを共有しているケースもあった。さらに、難民・避難民キャンプでも、決して広くはないシェルター内で大家族が寝床を共有していた。

国連は対策を取らなければ、「アフリカ諸国で約30万人が新型コロナで亡くなる恐れがある」との推測を出すほど、危機感を強めた。

アフリカ有数の経済大国である南アフリカは、他のアフリカ諸国に比べると医療体制は整っていた。保健省による４月の発表などによると、重症者が治療を受ける集中治療室は４９０９床あり、人口10万人当たりの病床数は約９・４床。日本のような先進国と比べてもそれほど遜色はなかった。人工呼吸器は3216台で十分とは言えなかったが、それでもアフリカ諸国では圧倒的に多い数字だった。

一方で、医療面でも格差の実態が垣間見える。黒人の83％は無保険でも治療費がほとんどかからない公立病院を利用するのに対し、保険に加入している白人や一部の中流・富裕層の多くは、国内の集中治療室の75％を保有する私立病院を受診していた。医療機関は都心部に多いため、地方の住民たちは設備の整った医療機関へのアクセスも限られていた。

南アフリカ政府は、患者を受け入れる臨時の医療施設やベッド、人工呼吸器、マスク、防護服の確保に追われた。感染者数が少ない段階で外出禁止措置を伴うロックダウンを実施したのは、そうした医療体制を整える「時間稼ぎ」の意味合いが大きかった。

政府の感染対策を担う専門家のサリム・アブドル・カリムは5月上旬、「国内の感染者は今後、数十万～百万人単位におよぶとの予測が出ている。感染のピークは7月下旬から9月初旬になるだろう」と指摘した。その予測通り、4月までは1日当たり数百人にとどまっていた感染者は徐々に増えていった。

それでも、政府は6月から多くの企業活動を認め、禁止していた酒の販売を条件付きで解禁。夜間外出禁止令も撤廃した。大統領のラマポーザは6月17日のテレビ演説で、「新型コロナへの対応は、短距離走ではなく、マラソンレースのようなものだ」と話した一方で、「新型コロナとその防止策は、私たちの生活に大きな混乱を引き起こし、経済を停滞させ、数百万人の生活を脅かしている」「ロックダウンは永続的に続けることはできない」とも述べ、禁止していたレストランの店内での営業再開などを認めた。

だが、同じ頃、南半球にある南アフリカは最低気温が０度近くまで冷えるなど、冬の時期を迎えていた。最大都市のヨハネスブルクや大統領府があるプレトリアといった都市部で急激に感染者が増加し、ソウェトのような人口密集地区でも感染者が急増。複数の州知事の感染も確認された。

一部の病院では、防護服や患者向けの医療用酸素が不足し、数十人規模の院内感染が発覚するケースも出た。医療関係者の一人は取材に対し、「このまま患者が急増すれば対応できなくなる」と危機感を訴えていた。

「我々は、嵐の中にいる」

１日当たりの感染者数が１万人を超えるようになった７月12日、ラマポーザは緊張した面持ちで国民向けの演説に再度立った。

「わが国は、民主化後の歴史の中で最大の危機に直面している。我々はこの120日もの間、世界中に壊滅的な被害をもたらしたウイルスの拡散を遅らせることに成功した。私たちは互いに協力し、決意を貫くことで、拡散を遅らせてきた。しかしいま、医療の専門家が助言していた感染の急増が起きている。我々は、嵐の中にいるのだ」

治療やケアにあたる医師や看護師らが1万2000人も不足し、最大で5万人が年内に死亡する恐れがあるとの予測も示した。感染スピードを抑えるために、夜間外出禁止令を再開し、酒の販売も再度禁止した。

7月2日から営業を再開したばかりだったカフェ店経営のレインハルド・ポールセン(39)は、政府の感染防止策に理解を示しつつも、苦渋の表情を見せた。

休業を余儀なくされた3ヵ月間の売り上げはゼロになり、複数の従業員を解雇せざるを得なかった。再開後は、客と従業員の感染を防止するため、店内の掃除と消毒を徹底。店員はマスクを着用し、メニュー表も使い捨てタイプにした。テーブルはそれぞれ1・5メートル離し、来店したお客には消毒液をかけ、名前や連絡先も聞き取る徹底ぶりだった。

「経済と健康面のバランスをどう取るかが大事だ。経済が回らなければ、私たちの生活はより脅かされてしまうことになるのだから」

主婦のマファレロ・モガネ（57）は、新型コロナに感染したいとこを亡くした。「彼がどこで感染したのかも分からない。入院先の病院では、午後５時から午後７時までのビデオ電話以外は会話を禁止された。徐々に呼吸がしづらくなり、亡くなる直前は声を発することもできなくなっていた」と涙ながらに訴えた。

遺体は黒い袋に厳重に入れられ、政府が指定した場所に埋葬。家族が触ることもできなかった。「彼の最期（さいご）を見届けられず、きちんとした葬式もできなかった。新型コロナは、恐ろしい病気だ」と嘆いた。

７月22日に１日当たりの死亡者数が過去最多となる５７２人に上り、その２日後には感染者数が１万３９４４人になった。夏場で感染ペースが落ち着いていた欧州各国を超え、一時は世界で５番目に感染者数が多い国になった。

通い慣れたスーパーマーケットや薬局でも感染者が発覚し、緊張感は増した。国際線の定期便の運航は停止されたままだったが、特別に認められた臨時便で退避する人も相次いだ。国内に約１５００人いるとされた在留邦人の多くも臨時便を利用し、一時は１５０～２００人しか残っていなかったと言われている。

減る凶悪犯罪、増える家庭内暴力

コロナ禍でも、ささやかないいニュースがあった。地元警察がロックダウン中の凶悪犯罪が減ったと発表したことだった。

政府は大規模な集会を禁止し、治安維持のために警察や軍兵士を各地に配置。当初は買い物も大人1人で行くように推奨されたため、3人以上の複数犯で行動することの多い強盗などの犯行は難しくなった。

4～6月の殺人事件は3466件にとどまり、前年比で35・8％も減少。強盗にいたっては半分近くまで減った。法律に反して酒の販売をしたり外出制限を守らなかったりした住民も次々に逮捕された。交際相手に会う目的で外出し、検問中の警察官に「祖母が亡くなった」とうそをついた男や結婚式を挙げた疑いで新郎新婦や牧師、招待客が逮捕される事例も報じられた。

警察相のベキ・ケレが犯罪減少の理由の一つとして強調したのが、感染防止策として実施した「酒の販売禁止」だった。国内では2019年度に酒がからんだ殺人事件が1430件、重度の傷害事件は1万9843件もあり、飲酒運転による交通事故も多発していた。

特に週末になると、飲酒がらみのけがで病院に運びこまれる人が増えるため、医療体制が逼迫しないように酒屋や居酒屋の営業を禁止した。その結果、４〜６月は酒がからんだ殺人が56件、重度の傷害が２８４件にとどまるなど、犯罪が急減した。

ただ、休店中の酒屋の商品を略奪したりする事件も散発的に起きたため、酒屋の多くはシャッターを閉めたり商品を撤去したりして、自己防衛策を取った。休校になった学校からパソコンなどの機材が盗まれる被害も発生し、規制が緩和されるにつれて犯罪件数が前年とほとんど変わらない状態になった。コロナ禍で収入が減った人が増えた分、今後長期にわたって犯罪が増える懸念は尽きない。

「南アフリカは、世界で最も女性にとって安全ではない場所だ。戦争をしている国にも匹敵するほどのレベルになってしまっている」

大統領のラマポーザはコロナ禍になる前年の２０１９年９月、「18歳以上の女性の５人に１人がパートナー（恋人や夫など）から暴力を受けている」「１年間で約２７００人の女性と１０００人の子どもが殺害され、少なくとも１００人のレイプ事件が毎日警察に報告されている」と指摘したうえで、問題の解消に向けて被疑者の重罰や被害者支援の取り組みを打ち出した。

それから9ヵ月後の2020年6月、ラマポーザは新型コロナの感染防止策とともに、改めて女性たちへの暴力を非難する演説をした。

「コロナウイルスの感染防止策が緩和されるに従って、女性と子どもに対する犯罪が急増していることは深く憂慮すべきことだ。虐待も劇的に増加している」

被害者の支援にあたっている「TEARS Foundation（涙の財団）」のモニカ・モアギ（54）に話を聞くと、「（コロナ禍で）被害は2倍以上増えている」と打ち明けた。

「家庭内暴力や性暴力が多くなっている。新型コロナの感染を防止するためにロックダウンが実施され、家族が狭い家でずっと一緒にいなければならなくなった。プライバシーもリラックスできる場所もない。シャックのような狭い家に住む人ならなおさら。食事がなく、子どもたちは泣きわめく。お金を稼ごうにも、自由に外出もできない。普段なら外に出ていた男性も家にいるしかなく、ストレスやいらだちをぶつけてしまうことがある」

彼女は、人種や肌の色、性別、年齢に関係なく、暴力事案は起きていると訴えた。「男の子だって、教員から暴力を振るわれることがある。でも、『男の子なんだから泣くな』と言われて育てられることが多いから、被害を訴えずに統計には出づらい。高齢の女性だって夜になれば性被害に遭っているし、白人の家庭だって家庭内暴力の事案はある。誰にでも起き得る問題だ」

モアギが働く財団では、家庭内暴力や性暴力を受けた被害者から連絡を受けると、カウンセリング施設や警察、一時保護用のシェルターにつなげている。常駐スタッフと大学で心理学を学ぶ学生ボランティアらが交代制で24時間対応。ほとんど報酬を払えないため、長期にわたって仕事を続けられるスタッフが少ないのが課題だ。

あるサバイバーの過去

新型コロナウイルスの感染者が出始めた時、2歳の幼児が自宅近くでレイプされたとの電話が鳴った。被疑者は、自宅や周辺の庭の手入れをする男だった。母親が目撃した時、幼児は出血していた。すぐに医療機関と警察に通報し、母子を保護した。

こうした時、南アフリカでは身体の検査とともに、エイズウイルス（HIV）検査も迫られる。国連によると、この国では710万人もの人がHIVに感染していると推計されている。15歳から49歳の人で見ると、感染率は推計でおよそ5人に1人になる。

ウイルスが体内で増えることを妨げる抗レトロウイルス薬の普及が進み、2006年に約29万人いたとされるエイズ関連の死者は、2019年には約7万2000人まで減少している。

ただ、同じ年の新規感染者は約20万人に達し、世界でも有数の感染者が多い国になっているのが実態だ。コンドームを使用しないままの性交渉や薬物使用時の注射器の使い回し、母子感染、輸血など、感染経路は多岐にわたり、中には「処女と性交すれば、エイズが治る」という迷信を信じる人もいた。

「この団体で働いている理由は何ですか？」

モアギに尋ねると、「私もサバイバーだから。過去に暴力を受けていた」と教えてくれた。

彼女が24歳の時に結婚した男性は、主婦として家庭に入り、自分に従順な妻であることを求めた。彼の家族も、「女性は夫のルールに従うべきだ」との考えだった。

教育を受け、銀行に勤めていたモアギが夫に反抗すると、何度も殴られた。手足に絆創膏を貼り、顔のあざはサングラスで隠した。「何かあったの？」と同僚に聞かれても、「車にぶつかった」「たんすにぶつけた」とごまかした。

警察に被害を訴え、支援を求めたこともあった。「調べてみます」とだけ言われ、また夫のいる自宅に帰された。翌日、警察に行ったことを知った夫は逆上した。

「なんで警察署なんかに行ったんだ？　俺の評判をおとしたいのか？　俺の仕事、俺の地位はどうなる？　周りの人がどう言ってくるんだ？」

そう言って、暴力を振るってきた。恐怖心から、誰にも言えなくなった。数年間は耐え続け、仕事で稼いだ貯金を頼りに、２人の子どもと家を出た。離婚後しばらくして、ＨＩＶに感染し、エイズも発症した。元夫はその前に感染が発覚していた。

彼女は幸いにも、10年ほど前に理解のある男性と再婚し、一緒に暮らしている。「私が経験したように、被害を受けた後に支援を受けられない人を減らしたい。そんな思いでこの仕事を続けてきた。警察も事件を解決しようと必死に取り組んでくれているけど、事件数に比べて警察官の数が少なすぎる」

「警察官を信頼していない人もいますよね」

私がそう聞くと、「賄賂（わいろ）を求めてくる警察官がいるってことね。でも、そのお金をあげているのは誰？　急いでいてスピード違反をして警察官に止められた時、『ジュース代を払うので……』と自ら言う人もいる。私たちも考え方を改めないといけない。自分たち次第ってこと。私たちが変われば、すべてはもう少しよくなるはず。できるだけ啓発活動をしないといけない。ＨＩＶやエイズでも、いろんな人がパンフレットを持って啓発し、支援をし、コンドームの重要性を訴えた。性暴力や家庭内暴力といった性に基づく暴力に対しても同じことをすればいい。身体的な被害だけでなく、心も精神も被害を受ける。気持ちが落ちこみ、自殺する人も多い。そういった状況を広く知らせていきたい」

ずっと感染症に向き合ってきて

南アフリカ政府は2020年10月から国際線の運航を再開するなど、経済の建て直しを図ろうとした。だが、新型コロナウイルスの感染力が弱まることも期待された夏場の12月に入ると感染者が急増。12月27日には累計の感染判明者が100万人を超え、翌年1月上旬には1日当たりの新規感染者が2万人を超える日も出た。

累計の死者も1月22日に4万人を超えた。アフリカ54ヵ国全体で報告された感染者数の約4割を占め、死者にいたっては半分近くを占めるなど、アフリカで最も甚大な被害を受けた国になった。

年末になって感染者が急増した理由は定かではないが、政府の感染対策を担うカリムは、12月に国内の感染の8〜9割を変異したウイルスが占めていたと説明した。政府はレストランや映画館の営業時間を午後8時までに制限し、酒類の販売も再度禁止に。公共の場でマスクを着用しない人（幼児を除く）に対し、６ヵ月以下の懲役か罰金、またはその両方を科すとの罰則規定まで設けた。

南アフリカの感染者数が多いのは、検査数の多さの表れでもある。検査態勢の不備が指摘された他の国と違い、感染の有無を判断する際に世界各国で使われたＰＣＲ検査の態勢を拡充し、多い時で1日7万件以上を実施。保健職員らを貧困地区に派遣し、住民の体調確認も積極的に行うなど、感染者の早期発見にも力を入れた。

政府が外出する際のマスクの着用を義務化すると、露店や雑貨店にはカラフルな布マスクが並び、自らミシンで作る人々も現れた。

一方、多くのアフリカ諸国では、ＷＨＯなどの専門家が当初懸念していたような感染爆発は２０２０年末時点で確認されていない。ＷＨＯアフリカ地域事務局長のマシディソ・モエティは、欧米諸国に比べて感染者数が少なくすんでいる理由について、「感染した人の多くは25歳から45歳だが、新型コロナで重症化し、亡くなるのはより高齢の人だ。アフリカの人々は、心臓疾患や血圧の異常、肥満の人が多く、すでに亡くなっているケースも多い」と分析した。

国連などによると、アフリカ各国の年齢の中央値は19・7歳。南アフリカは27・6歳と比較的高くなっているが、少子高齢化が続く日本の48・4歳に比べれば若年層が多い。

脅威となる感染症が新型コロナ以外もあるため、「なぜ新型コロナだけこんなに騒ぐのか？」という声もあがった。ＷＨＯによると、南アフリカはＨＩＶ・エイズによる死者が２０１６年に10万７０００人を超え、呼吸器感染症で約３万６８００人が犠牲になったと推定されている。

マラリア原虫を持ったハマダラカという蚊に刺されることで感染するマラリアは、２０１８年に世界各地で計２億２８００万人が感染し、死者は40万人超になったが、感染者、死者の90％以上をアフリカの国で占めた。

アフリカ西部のブルキナファソの病院で話を聞いた女性は、４歳の娘がマラリアと栄養失調で入院していた。体重は日本の子どもの平均より７キロほど少ない９キロまで減っていた。病院の医師は「薬が手に入らずに治療できなかったり、高価で買えなかったりする人が多い」と嘆いた。

ナイジェリアで貿易業を営む男性は、新型コロナの流行後に外出禁止措置を含む厳しい感染防止策が取られたことに疑問を投げかけた。

「他の感染症では年に何万、何十万人もの人が亡くなっているのに、新型コロナのように騒ぐことはない。先進国で流行したから、世界中で騒がれるようになっただけではないか」

アフリカ諸国で最初に新型コロナの感染が判明した患者の多くは、欧州などから来た裕福な人たちだった。海外旅行とは無縁で、感染症と向き合う生活が日常だった人々からすれば、未知なる感染症によって引き起こされた世界各国の混乱ぶりに戸惑いを覚えるのも無理はないのかもしれない。

第5章　コリシ、魂を語る

12歳の転機

南アフリカ代表が日本で開かれたラグビーワールドカップで優勝した後、主将としてチームを率いたシヤ・コリシは、国内外で称賛された。各地のイベントに招待され、イギリスを拠点とするアフリカ専門雑誌による「アフリカで最も影響力のある100人」にも選ばれた。注目を集めた理由は、その生い立ちも関係していた。

彼は1991年6月16日に生まれた。父親に定職はなく、コリシが幼い時に出稼ぎに出た。16か17歳の若さだった母親は彼を一人で育てられず、育ててくれたのは祖母だった。

祖母との暮らしは決して楽なものではなかった。時には2人分の食料を買う余裕もなく、おなかがすいたまま眠った。自宅はすきま風が入りこみ、冬にあたる7月頃は寒さがこたえた。

雨漏りも日常だった。近所から食事を分け与えてもらうと、祖母は自分では食べず、幼いコリシにくれた。21世紀になろうとしていたこの時期、電気代が払えず、学校の宿題は外灯の下でこなしていた。

小学生の時に地元チームのアフリカンボンバーズに入り、基礎的な技術を身につけた。

「ラグビーは白人のスポーツ」と呼ばれることもある南アフリカの中で、この地域ではプレーする黒人が比較的多く、彼の父親もラグビー経験者だった。

コーチだったエリック・ソングウィーキに素質を見出され、泥だらけになって帰る日々。家に帰っても娯楽が少なかったコリシにとって、ラグビーはかけがえのないものになっていった。

転機になったのは彼が12歳の時。各地のチームが集まった試合で、スカウトの目にとまった。裕福な白人の子どもたちが多く通う地元の「グレイスクール」が、将来性のある選手として、コリシら複数の子どもに奨学金の提供を決めたのだ。学費も寮費も食事代も心配せずに、ラグビーの練習に集中できる環境を与えられることになった。

大きな校舎に手入れの行き届いたグラウンド、空腹になる心配をせずに眠りにつけた寮の部屋。すべてが新鮮だった。ただ、授業のほとんどは英語で行われ、他の生徒に付いていくのが難しかった。彼がこれまで学校で話していたのはコーサ語で、英語はほとんど分からなかった。教員たちの計らいで、主に白人が使うアフリカーンス語の授業が免除され、その分、少人数で英語の授業を受けることになった。

「いつか代表選手になりたい」

生活が安定しはじめた頃、不幸が襲った。体調を崩していた祖母が倒れたのだ。近所の人や牧師も駆けつけ、「あなたのおばあさんは亡くなった」と告げられた。まだ幼かったコリシは、事態を飲みこむことができず、涙も出なかったという。

祖母の家には、母親と別の男性との間にできた弟も暮らしていたが、祖母の死後は別の家に引き取られたと聞いた。コリシが15歳の頃、今度は母親も亡くなった。

ラグビーに専念することが、彼の生きる道だった。他の選手たちと比べて体格は小さく、パワーを生かして相手を次々に倒すことは難しかったが、タックルやパス、キックといった基礎的な技術に磨きをかけ、万能型のプレイヤーとして成長していった。

2007年10月20日。フランス・パリ近郊のスタジアムで、ラグビーのワールドカップ決勝が開かれた。母国の代表は、イングランド代表との試合を制し、2度目の優勝を飾った。16歳になっていたコリシは、地元ズウィデの居酒屋でその中継を見守った。

私が2019年にその居酒屋を訪れると、店外のいたるところにビール瓶の破片が落ちていた。酒を飲みながら南アフリカ代表を応援する大人たちに交じり、コリシはここで、

「いつか代表選手になりたい」と夢見た。

厳しいトレーニングに耐えた体は大きくなり、高校卒業後はケープタウンを本拠地とするチームに長く所属。２０１０年には、20歳以下の南アフリカ代表にも選ばれた。そして3年後、21歳の若さで代表チーム、スプリングボクスの試合に初めて出場した。15年にイングランドで開かれたラグビーワールドカップにも出場し、日本代表に敗戦を喫した試合でもプレーした。17年2月からは所属するストーマーズのキャプテンも務めた。

選手としてはもちろん、コリシはプライベートでも国民の耳目を集めた。14年、孤児院や里親のもとで暮らしていた弟と妹を養子として育てることを決断。当時交際していた白人のレーチェルと子どもたちを迎え入れたのだ。

コリシとレーチェルは翌年に第1子の男の子を授かり、16年に結婚。さらに、1年後に女の子が誕生した。

黒人と白人のカップルの結婚に地元メディアも騒ぎ立てた。第2章で書いたように、アパルトヘイト時代は黒人と白人が結婚や恋愛をするのは違法で、それを破った男女は処罰された。いまでこそ異なる人種同士でも結婚できるようになったが、まだまだ少数派だ。

プロのラグビー選手として活躍するコリシは、彼の苦難の生い立ちとともにより一層、注目を集める存在になった。

初めての黒人主将

この時期、スプリングボクスは窮地に立たされていた。南アフリカ国内のスタジアムでニュージーランドを迎えた一戦で、40点差以上をつけられて惨敗。さらに、格下と見られていたイタリアにも初めて敗れた。

2018年3月、結果を残せなかったアリスター・クッツェーに代わり、南アフリカ代表の監督にラシー・エラスムスの就任が発表された。その数ヵ月前から協会幹部として加わっていたエラスムスは、すぐに選手たちの意識改革に着手した。

代表選手たちの能力は他の強豪国に匹敵すると信じていた彼は、日々の練習から「プロのラグビー選手として全力を尽くせ」と言い続けた。

代表招集後に開かれたミーティングで、「君たちは大金をもらいながら、プレーではなくピッチの外のことに目を向けている。ラグビーを第一に考えていない。変わらなければならない。個人個人の目標よりも、ラグビーやスプリングボクスのほうが大事だ」と伝えた。

観戦に来てくれるファンは、貴重なお金を払ってチケットを買い、選手たちが全力で戦う姿を期待している。インスタグラムやツイッターといったＳＮＳに多くの時間を費やすのではなく、ラグビーに時間を注ぐ。当たり前のようでいて難しい、プロのスポーツ選手としての心構えをチームに浸透させていった。さらに、数多くの若手を代表に初招集して、選手たちの競争意識も芽生えさせた。

ワールドカップを翌年に控え、協会もチームの強化に動いた。代表戦で30試合出場に満たない選手が国外のチームに所属した場合、代表に招集できないとするこれまでのルールを撤廃。これによって、ワールドカップで金髪をなびかせてプレーしたスクラムハーフのファフ・デクラークや決勝戦でトライを決めることになるチェスリン・コルビらの選出が可能になった。

国内メディアを驚かせたのは、エラスムスがその年の5月に代表の主将にコリシを指名したことだった。強化試合を前に別の選手が負傷したことなどを理由にあげたが、１２７年にも及ぶスプリングボクスの歴史の中で、黒人選手が主将になるのは初めてだった。

なぜ彼だったのか？

エラスムスは、高校卒業後にケープタウンのチームに所属したコリシを指導していた。

「私はシヤが18歳の頃から指導にあたった。選手として、男として、そして主将としての彼の素質を知っている。私は彼のことが気に入っている。謙虚で物静かで、自分のすべきことをまっとうする。常識的な選択だった」と、地元メディアに理由を語った。

ただ、エラスムスの指名には、「実力ではなく、南アフリカのラグビー界で少数派だった黒人選手への政治的な配慮だ」などという反発の声もあった。そうした声はコリシの耳にも届いていたはずだが、練習や試合に集中する姿勢を崩さなかった。

「最も大事なことは、試合で全力を尽くすこと。そうすれば、母国や私のことを信頼してくれた監督を支えることができる。ラシーの恩に報いるために、ピッチで示すだけだ」

主将の指名が政治的な決断だったという意見についても、コリシは「ラシーは政治家ではないし、私も違う」と否定的な考えを示し、「私はラグビー選手だ。私が望むのは、よいプレーをして、すべての南アフリカ国民を元気づけたいということだけだ。主将指名がこの国にとってどれほど大きいものかは分かっている」と話した。

主将としてのメッセージ

コリシが南アフリカ代表として初めて試合に出場した時、主将を務めていたジャン・デヴィリアスもこの決定を後押しした。地元メディアの取材に対し、「コリシは信じられないような人生を歩んできた。（主将指名は）南アフリカにとって素晴らしいことだ」「彼の闘志はピッチ上でも明らかだ。彼のチームメートだけでなく、南アフリカ全体を鼓舞（こぶ）することができる」と太鼓判を押した。

　エラスムスが協会幹部として就任した時、ワールドカップは６１８日後に迫っていた。課せられた目標は優勝。

　時間はそれほど残されていなかったが、堅守と大柄なフォワード陣を軸に相手に圧力をかける戦い方に磨きをかけていった。２０１８年８月から10月に行われたラグビーチャンピオンシップ（南半球４ヵ国対抗戦）では、ニュージーランド、オーストラリア、アルゼンチンと対戦し、無類の強さを誇っていたニュージーランドを敵地で破るなど、チームの強化策に自信を深めていった。

　ラグビーワールドカップが開催される直前の８月26日、代表メンバーが発表された場で、コリシは主将としてエラスムスとともに会見に臨（のぞ）んだ。目標を聞かれたコリシは、「最終的な目標はワールドカップで優勝すること。それが監督のメッセージだった。最も大事なのはスプリングボクスであり、個々人の選手としてではない。彼が私たちに求めているのは、プレーの良し悪しは気にせず、全力を尽くすことだ」と強調した。

主将として大会に臨むことについての意味を問われると、「本当に光栄だ。監督とは長い付き合いで、私が高校を卒業後に所属したチームとの契約も働きかけてくれた。いろんな機会で会い、私がどういったところで育ってきたのかも知っている。このような機会は夢にも思っていなかったし、本当に幸せでワクワクしている。同時にとても緊張している。うそでも何でもなく、私はチームメートを頼りにしている。監督が私に望むことは試合に集中し、ピッチで全力を尽くすことだった。助けが必要な時は他の選手たちに相談すればいいと思っている。自分一人だけが責任を持っているとは見られたくはないし、常に他の選手からの支えが必要だ。自分にはできないやり方で、他の選手がチームを引っ張っていってもらいたいとも思っている。だから、とても緊張しているけど、本当にワクワクしているんだ」

彼はこうも言った。「主将になったことは本当に大きなことだ。夢にも思わなかった。でも、こうやって当たり前のことになってきている。最も大事なことは、毎日の練習に励み、国民全員に誇りを持ってもらうこと。小さな練習場でプレーしている子どもたちも、

2019ラグビーワールドカップ、代表メンバー発表の記者会見に出席するシヤ・コリシ（右）とラシー・エラスムス（レフロゴノロ・モコテディ撮影）

私のことを見て、『自分もやればできるんだ』と思ってくれる。それこそが究極の目標なんだ。一生懸命取り組み、機会が与えられれば、何だってできるんだという希望を届けたい」

相手チームの研究で睡眠時間が削られていると明かしたエラスムスも、会見でこう強調した。

「私たちのプレーで、国民に誇りを持ってもらえるようにしたい。真の誇りをね」

ワールドカップ、初戦敗戦の重圧

南アフリカの代表選手たちは、海外勢で最も早く日本に到着した。冬場にあたる南アフリカと違って、30度を超えて湿気もある日本の気候に選手たちを順応させる。優勝を狙いにいくチームの本気度を感じ取った。

初戦。南アフリカ代表は、前回大会王者のニュージーランド代表と対戦した。決勝戦のカードと言ってもおかしくない一戦で、南アフリカは13—23で敗れた。目標としていた優勝はもちろん、ノックアウトステージと呼ばれる決勝トーナメント進出に向けて、重圧がのしかかった。

エラスムスは気持ちを切り替えさせるため、気落ちする選手たちと話し合いを持った。

「南アフリカでプレッシャーというのは、失業していたり、近しい親族が殺されたりすることだ。母国には多くの課題がある。そういったプレッシャーについて選手たちと話し合った。ラグビーはプレッシャーを生むべきものではなく、希望を生み出すべきものなんだ」

1日当たり58件もの殺人事件が起き、日々の仕事や食べるものすら満足に得られない人が多くいる母国の現状を考えれば、ラグビーで一つの試合に敗れたことは大きなことではない。予選グループで残り3つの試合に勝てば、まだ決勝トーナメントに進出できる。まずは3試合に集中していこうとのメッセージだった。

その後、南アフリカ代表はナミビア、イタリア、カナダを退け、開催国である日本代表と準々決勝で対戦することになった。

「スポーツ史上最大の番狂わせ」

4年前にイングランドで開かれたワールドカップで、日本代表が試合終了間際にトライを決め、34－32で南アフリカ代表を破った試合は国内外でそう呼ばれた。ゴールキックで得点を重ねた五郎丸歩（ごろうまるあゆむ）の「ポーズ」を真似る人が相次ぎ、ラグビーというスポーツの認知度を急速に上げるきっかけともなった。

　初めての自国開催で、日本代表は世界ランキング2位のアイルランド、そして前回大会で苦杯をなめたスコットランドを下して初の決勝トーナメントに出場した。ファンからは「前回大会の再来を」と期待する声が高まっていた。

　コリシは大会前の会見で、日本戦について「（私も含めて）前回大会でプレーした選手も何人かいるが、我々は全く新しいチームだ。日本との対戦はいつもの試合と変わらない。リベンジをするのが目的ではない」と強調していた。

　だが、南アフリカ代表は前回大会とは気持ちの面でも違っているように見えた。日本代表を手強い相手と認め、油断することもなく、主力選手を投入し、試合開始直後から攻勢をかけてきた。

　前半4分、体格の差を生かしてスクラムで日本のフォワード陣に圧力をかけ、デクラークのパスを受けたマカゾレ・マピンピが一気にトライ。その後は日本も主導権を握ろうとするが、田村優のペナルティーゴールで点差を縮めることしかできなかった。

　私は日本戦の中継をヨハネスブルクの商業施設で見守っていた。広場に設置された特設

南アフリカ代表と日本代表の一戦を観戦するファンたち（著者撮影）

のパブリックビューイング会場に詰めかけた約１５００人の観衆のほとんどは白人だった。

「ゴー！　スプリングボクス！」

多くのファンが代表チームのジャージーを身にまとい、声援を送り続けた。前半は５―３で南アフリカ代表が僅差（きんさ）でリード。ファンたちの緊張感がこちらにも伝わってきた。

だが、後半に入ると、南アフリカ代表はハンドレ・ポラードがペナルティーゴールを３本決めて突き放しにかかる。守備での出足も鋭く、日本の反則を確実に得点につなげた。さらに後半26分、ハーフウェイライン付近のラインアウトからモールで約40メートルも押しこみ、最後はデクラークがトライを決めた。

日本戦で見せた力の差

試合終了。スコアは26―３。今大会の躍進を支えたスクラムで押され、前半のペナルティーゴールによる得点だけに終わった日本代表にとっては、力の差を見せつけられた一戦となった。

スクラムハーフの流大（ながれゆたか）は、密集からボールを素早く展開しようとしたが、次々と相手のタックルに襲われ、攻撃のテンポを思うように作らせてもらえなかった。

「遅れ気味でも、反則でもないギリギリのところで来られた。これが優勝を目指すチームかと思った。これまで経験したことのない強さだった。まだ（準々決勝では）勝てないと実感した」と悔しさをにじませた。

大会期間中、全試合に出場した稲垣啓太も言った。

「やれることはやった。それ以上に相手が強かった」

試合後、ヨハネスブルクで観戦していた南アフリカのファンにも日本戦の感想を聞いてみた。全員が「日本代表はよくやったし、どんどん強くなっている。開催国としても素晴らしい」と述べていたが、母国の代表が日本に勝利したことは当然であるかのようにふるまっていた。

１９９５年の初優勝の時もスタジアムで観戦していたという白人のマシュー・マクドナルド（46）は、「このまま優勝し、マンデラがいた時のように盛り上がってほしい」と期待を込めた。普段はサッカーばかり観戦しているという黒人のジェームズ・セボーネ（38）は、「我々には素晴らしい監督がいるし、何より主将は我々と同じ黒人だ。この国では人種差別がいまだに残っているけど、優勝すれば国民は団結するはずだ。ラグビーにはその力がある」と語っていた。

別の男性に話を聞こうと「おめでとうございます」と声をかけると、ニヤッとしながらお腹を小突(こづ)いてきた。日本代表の2度目の勝利を期待する私に、「俺たちの代表チームの実力を見たか」とでも言うかのような一発だった。格下と見られていた日本に2度も負けるわけにはいかない。南アフリカ国民にとっては、そんな重圧から解放された瞬間だったのかもしれない。

南アフリカの国営放送SABCは、4年前のイングランド大会で日本が34―32で南アフリカを破り、「スポーツ史上最大の番狂わせ」と呼ばれた試合を踏まえ、「(南アフリカ代表は)悪魔を追い払う必要があった」と報道。「辛抱強さが鍵だったが、終盤にトライを続けた」とし、「勇ましい日本を打ち破った」と報じていた。

南アフリカ代表は、その後の準決勝でウェールズを19―16の僅差で破り、決勝戦では、3連覇を目指したニュージーランドを破ったイングランドと対戦。32―12で突き放した。いずれもベンチで控える大柄のフォワード陣を試合後半に次々に投入し、栄冠を勝ち取った。

優勝トロフィーのウェブ・エリス・カップを掲げ、横浜の地で喜ぶ選手たちに交じり、南アフリカの現職大統領、シリル・ラマポーザやルラマ・スマッツ・ンゴニャマ駐日大使も歓喜の輪に加わった。コリシの父親であるフェザケレも、息子の晴れ舞台をスタンドで見守った。これが初めての海外旅行だった。

優勝後の会見で、エラスムスは胸を張った。「多くの人は優勝なんてできっこないと思っていたかもしれない。でも、我々は決してあきらめることはなかった。本当に誇りに思うよ」

コロナ禍での単独インタビュー

大会終了後、私は主将としてチームを優勝に導いたコリシにインタビューしようと動いた。彼は西ケープ州にあるケープタウンを本拠地に世界最高峰リーグ「スーパーラグビー」に参戦するストーマーズに所属していた。ただ、チームや代理人を通じて取材を申しこんでも、なかなか許可をもらえなかった。

監督や選手たちは、優勝パレードや祝賀会、スポーツイベントにと引っ張りだこだった。それでも、コリシの代理人と粘り強く交渉を重ねた結果、優勝から４ヵ月が過ぎた２０２０年３月25日に所属チームがあるケープタウンで単独インタビューをさせてもらえることになった。コリシが足を負傷して試合に出場できないため、少しばかり時間に余裕ができたのかもしれなかった。

　ケープタウンは国内随一の観光地であり、私が住んでいたヨハネスブルクからは直線距離で1260キロも離れている。東京からお隣の韓国の首都ソウルまでの距離よりも長く、飛行機だと2時間前後かかる。

　テーブルのように平らになった山頂が続くことから名付けられたテーブルマウンテンやマンデラが長年獄中生活を送ったロベン島のほか、すぐ近くには野生のペンギンの生息地やワインの産地として有名なエリアもある。乾いた大地が続く内陸部のヨハネスブルクから海沿いのケープタウンに行くと、南アフリカ人でさえ「ここは別の国のようだ」という感想を漏らすほどだ。

　だが、新型コロナウイルスの流行で、このインタビューは延期せざるを得なかった。3月15日に国家災害事態が宣言されたうえに、取材予定だった翌日の深夜からロックダウン（都市封鎖）が実施され、スーパーや薬局などを除いて外出が厳しく制限されることになったのだ。

　許可証を持っている者を除いて自宅がある州の外への移動は禁止され、海外渡航はおろか、国内線も一時停止。ホテルの営業も停止されることになった。

仮に取材はできたとしても、泊まる場所もなければ、ヨハネスブルクに戻れなくなるかもしれない。こちらが感染するリスクもあれば、感染させるリスクもあった。

「縁（えん）がなかった」と思って、取材自体を取りやめることも考えた。新聞記者は、取材対象者に直接会って話を聞くのが基本だ。対面取材なら、その人の息づかいやしぐさを感じられるし、何より写真撮影もできる。

ただ、あきらめたくはなかった。新型コロナの感染リスクを減らすために、ロックダウン以降は電話やビデオ電話会議システムによる取材が必然的に多くなった。世界中で猛威を振るうウイルスの危険性がはっきりしない状況下では、新しい取材用式として割り切るしかなかった。

コリシは新型コロナの流行後、生まれ育った故郷やケープタウン周辺の地域で困窮生活を送っていた人々のために食料を届けに行っていた。ラグビーワールドカップの話や彼の生い立ちだけではなく、コロナ後の活動も日本の読者に知ってもらいたいと思った。

ビデオ会議システムでのインタビューを代理人に再度依頼し、待つこと数週間。インタビューは６月10日に設定された。

コリシとの対話

通信環境が安定していた事務所の机にノートパソコンを置いて、ビデオ会議システム「Ｚｏｏｍ」を起動する。自家発電機が設置されているとはいえ、インタビュー中に予期せぬ停電が起きれば、接続が途切れてしまう。

貴重な取材時間を無駄にしたくなかった。「いまは停電しないでくれ」と心の中で祈った。記録用に撮った映像を後から見返すと、私自身が鼻をすすったり、ノートを見返すために下を向いたりして、緊張している様子が分かる。

予定時間ほぼぴったりにコリシの顔が映し出された。

「こんにちは。元気ですか?」

笑みを浮かべながら、日本滞在時に覚えたであろう日本語を使ってあいさつをしてくれた。

「元気です。Very nice Japanese」

「ありがとう」

お互いに笑みがこぼれる。コリシは黒色のパーカーを着て、リラックスした様子だ。気さくな様子に私の緊張も和らいだ。

「私はあなたの故郷ズウィデで、アフリカンボンバーズのコーチをしているソングウィーキさんらとワールドカップの決勝戦の中継を見ていました」

「それはすごい！」

「私にとっても、とても感動的な時間でした。日本との対戦もすごく印象に残っています。本当に優勝おめでとうございます」

「ありがとう」

そんなやりとりをした後、用意していた質問を投げかけた。主な質問と回答を紹介したい。

――南アフリカでも新型コロナウイルスの感染が広がる中、病院にマスクや消毒液を提供したり、あなたの故郷や貧しい地区で食料を配ったりといった活動に力を入れていますね。スポーツ選手であるあなたが、このような活動をされているのはなぜですか？　このような状況でどういった役割があると思いますか？

「どうやって自分が育ってきたかを、いまも覚えているんです。私は（アパルトヘイト時代に黒人居住区として指定された）タウンシップ出身です。経済的に苦しい家庭で育ちました。食事も満足に取れず、新しい服や、学校で履（は）く靴も買えませんでした」

——どう乗り越えたのですか。

「助けてくれたのは、地域の人々でした。コップを一つ持って出かけ、食事を恵んでもらっていました。そうやって支えてもらったからこそいま、ここまで成長することができました。私の幼少期は素晴らしく、幸せな子だったと思います。幼少期のことや周りの人々のことが好きなんです」

「自分が何かを成し遂げることができた時には、地域の人たちに恩返しをしよう。そう思っていました。当初は新型コロナウイルスに苦しむ人たちの支援ではなく、自分が通っていた学校で何か取り組もうと思っていたんです。でも、南アフリカで感染が拡大し始めた頃、私も私の妻も、何かをしなければならないと感じたんです。『コリシ財団』を立ち上げ、支援活動を始めたのです。幸いにして、一緒に取り組んでくれるスポンサーやパートナーもいました。トレーニングの合間に、生まれ育った故郷にも食糧支援などのために行きました」

——あなたの故郷である東ケープ州ズウィデでは、多くの人がいまも貧困や失業といった問題を抱えていますね。

「故郷の大変な状況は、私が育った時と変わっていません。むしろいまは、さらに厳しい。新型コロナウイルスの流行と感染防止の対策によって、住民たちは家の中にいるように求められ、外に行って近所の人に助けを求めることも難しくなりました。職を失った人もたくさんいます」

――感染拡大によって、スポーツの開催は以前より難しくなりました。あなたの所属チームが参戦するラグビーのリーグ戦も中断を余儀なくされましたね。

「とても深刻な状況です。チームの練習も個人ごとになり、チームメートと顔を合わせるのは車を停める駐車場くらい。試合が再開できる日を心待ちにしていますが、いまは人の命を守ること、苦しんでいる人を支えることが何よりも大切です」

声をあげなければいけない

――アパルトヘイト撤廃から30年近く経った南アフリカは、貧困や失業などとともに、いまも人種差別が根深い課題です。他の国でも同じで、最近はアメリカで黒人男性が白人警官に首を押さえつけられて死亡した事件の後、人種差別に反対する人々が抗議デモを続けています。スポーツ選手として、こういった問題の解消のために求められる役割とはどういったものでしょうか？

「人種差別はすべての国の問題であり、すべての人にとってひとごとではない問題でもあります。長い間傷つけられてきた人々の痛みを理解し、スポーツ選手であるかは関係なく、声をあげなければいけない。時には心地よくないような会話もしなければなりません。私たち人間は誰もが、自分の子どもや孫のためによりよい世界を望んでいます。多くの人が傷ついてきた。だからこそ、多くの人が変化をもたらそうと動いているのだと思います」

――ただ、人種差別も貧困の問題も、現状を見ると、実際に大きな変化を生み出すことは簡単ではないとも感じてしまいます。

「私は南アフリカの各地を回り、人々がいかに苦しんでいるかを見てきました。水も出ないようところに質素な家を建て、高齢の人たちが子どもを育てています。気持ちを高ぶらせるようなものは何もない。本当に何もないんです。だけど、彼らは一生懸命に働いています。たとえば、劣悪な環境で働く鉱山労働者たちもそうです。食料を寄付しに行くと、『ここで何をしているのか』と尋ねてきました。これまで誰も来ず、話を聞くことすらしなかったからです。私たちの財団の目標は、そういった人々の声をもっと届けることです。

変化を生み出すためにできることをしていければと考えています」

――ワールドカップで優勝した時のインタビューで、あなたが「一つにまとまれば、我々は何だって成し遂げられる」と答えていたのが印象に残っています。スプリングボクスは、人種の壁を越えてワールドカップ優勝を果たしました。人種差別や貧困といった問題と向き合う時にどうすれば、「一つにまとまる」ことができますか。

「まずは目標が何か、何が最も重要かを理解する必要があります。ワールドカップを振り返ると、私たちにとって最大の目標は優勝することでした。エゴを脇に置き、チームが必要とすることに集中しました。お互いに会話をし、理解しはじめることが大事です。快適なエリアから一歩踏み出し、好きなもの、嫌いなもの、行動を起こす理由は何か？　そういったことを理解し合うことが前進できる唯一の方法だと思います。私はそれが可能だと信じています」

――ラグビー以外にも当てはまる話ですね。

「出発点として、他の人の傷から目を背（そむ）けないことも大事です。私は車で息子を学校に送っていますが、いつも路上の脇には寝ている人がいます。雨が降り、道路が濡れている時にも。南アフリカは変えるべきことがあまりにも多く、私が何も発言しなければ、機会を無駄にしていることになる。タウンシップで育つ次世代の子どもたちのために声をあげなければ、子どもたちは私が通ったような道をまた歩むことになってしまいます」

——苦難を乗り越えてラグビー代表チームの主将にまでなったあなたの歩みは、称賛されていますよね。

「苦労を味わった子どもが何かを成し遂げたら、私と同じように褒(ほ)めたたえられることでしょう。でも、それは正しいことではないと思うんです。なぜなら、すべての子どもたちは、私が経験したような道を通るべきではないからです。子どもたちが苦しみ続けているのだとしたら、国として前進していないということ。子どもたちが自分たちの居場所で安心して暮らすことができ、望む教育を受けられる。それこそが当たり前にならなければなりません」

チャンスのために準備を怠らないで

——日本で開催されたワールドカップを少し振り返りましょう。黒人初の主将として優勝に導き、国民は人種に関係なく歓喜しました。母国にとって、この優勝がもたらした意味とはなんでしょうか？

「非常に大きなものでした。当時は数々の問題が噴出していました。女性への暴力事案や、他の国から来た移民らへの嫌悪（けんお）の感情（ゼノフォビア）も問題になっていました。私たちは日本にいたので多くを語ることはできませんでしたが、全力を尽くして明るいニュースを届けようとしたのです。（優勝したことで）黒人コミュニティーでは壁が壊れたと思います」

——どういう意味ですか。

「優勝の瞬間を目にした多くの子どもたちは、過去にはなかったような夢や希望を持てるようになったはずです。私にとっても、優勝したことで何かを実現するための機会をもらい、財団で取り組みを進めることができるようになりました。もちろん、チームメートの存在なしに、優勝は成し遂げることはできませんでした」

——１９９５年に初めて南アフリカ代表がワールドカップで優勝した時、当時のネルソン・マンデラ大統領はあなたと同じ背番号６のジャージーを着ていました。アパルトヘイトを撤廃に導き、人種の融和（ゆうわ）を求め続けたマンデラ氏と比較されることもありますね。

「マンデラ氏と比べるなんてできっこないですよ！　マンデラ氏はマンデラ氏。全然違います。彼のことは尊敬しているし、成し遂げた功績は素晴らしいものです。もしも、彼が実現したことの1％でも私が違った形で成し遂げることができたなら、うれしいです」

――マンデラ氏は「スポーツは人々を団結させる力がある」と言いました。ただ、ラグビーは白人のスポーツだという人もいます。人種の壁のようなものを感じたことは？

「ラグビー（を取り巻く環境）は進歩してきています。（黒人や白人などの人種が入り交じった）２０１９年のワールドカップのチームを見れば分かるでしょう。チームは変化してきているし、素晴らしい監督のもとで正しい方向に向かっています。もっとよくなっていくと確信しています」

――シンプルな質問です。いまの夢は何ですか？

「私たちの財団がしているような活動が、必要ではなくなる日をつくることです。タウンシップで暮らす子どもたちが、次に食事をもらえるのはいつだろうかと考えなくてもよくなり、インフラや備品が整備された学校が広がるようになることです」

「多くの子どもたちは、さまざまな苦労を抱え、潜在的な能力を十分に発揮できていません。身近なところで尊敬できるロールモデルが必要です。私は12歳の時から奨学金をもらって学校の寮に住みはじめました。英語がしゃべれず学校の課題でも苦労しましたが、何とか上達することができました。地元の友だちや家族とはなかなか会えず、寂しさもありました。ただ、その分、いまのチャンスをもらった。次の世代の子どもたちが途中であきらめることなく、適切な高等教育を受けるために闘うことができるのです。重要なことは、子どもたちが自らの将来について選択肢を持てることです」

――近いうちに、その夢はかなうと信じていますか？

「私はそう信じています。私も一生懸命取り組むし、それに私は一人ではありません。周りの人と一緒に闘っています。若い世代が世界を変えていくでしょう。恐れるものはありません。もし私の息子が自分と同じような経験をするのなら、それは正しいものだとは思いません」

――貧困などで困難な状況にある子どもたちは、南アフリカに限らず、世界各地にいますよね。伝えたいことはありますか。

「ポジティブのままでいて、チャンスのために準備を怠らないでほしい。ほとんど期待もしていないような時にこそ、チャンスは訪れます。その時に準備ができていなければ、後悔することになります。私自身も同じでした。幼い頃から毎日、ラグビーの練習に励んでいました。チャンスが来るかどうかなんて分かりませんでしたが、12歳の時につかみ取ることができました。準備し続ければ、時が来た時にチャンスを手にすることができるはずです」

日本について

まだまだ聞きたいことは山ほどあったが、日本人記者として、ラグビーワールドカップ中の日本の印象も尋ねてみたかった。

「いままでで最高の経験の一つです。日本の皆さんは、いつも温かくもてなしてくれました。道に迷った南アフリカ人のために、自分の店をいったん閉めて目的地まで連れて行ってくれた人もいたんです。試合会場ではファンが対戦する両チームに拍手を送り、世界各国にマナーやスポーツのよさを教えてくれました。また日本に行ける日が来ることを願っています。そういえば、ワールドカップの時は日本の焼き肉が大好物になって、ほぼ2日に1度は食べていました。(所属チームの拠点がある)ケープタウンにも日本料理屋があると聞いたので、今度行ってみようと思っています」

こちらが日本人の記者だと分かったうえで、リップサービス的な意味も含まれているのかもしれない。ただ、観光や仕事で他の国を訪れた時、人々の温かさや現地での食事の思い出は、その国を好きになるかどうかを決める大きな要素の一つだろう。

南アフリカで定番の食事と言えば、「ブライ」（バーベキュー）をあげる人は多い。炭や木材に火を付け、鶏肉や羊肉、ソーセージなどを網の上で焼き、家族や友人、仕事の同僚らと会話を楽しむ。この国を代表する食文化で、私が南アフリカを好きになった理由の一つでもある。

コリシに日本のチームでプレーする可能性についても尋ねてみた。

「そのうち分かるでしょう。まだ所属クラブでの契約が残っていますから。でも、過去には、もう少しで日本行きが決まりそうだったこともあったんです。南アフリカでの活動が一段落すれば、数年は日本（のチーム）でプレーできるでしょう」

日本でのプレーに前向きな発言をしてくれたことに、思わず前のめりになった。日本でのワールドカップを共に戦ったマピンピなど、日本のチームに移籍する南アフリカ代表の選手は少なくないし、その経験値や知名度からも彼の加入に動くチームがあっても不思議ではない。いつか、日本のどこかのスタジアムで、彼がプレーする姿を見られる日が来ることを願った。

「お時間を取っていただき、本当にありがとうございます。新型コロナウイルスに気をつけてください」と伝えた。そして、日本語で「ありがとう」と言い合い、インタビューを終えた。

最後に握手をしたいところだったが、オンラインのインタビューでの最大の弱点を痛感した。

ラグビーが放つ光

取材後、大きく印象に残ったことがあった。

一つは、人種差別のような問題に対して、スポーツ選手であるかどうかは関係なく、声をあげる大切さを訴えた場面だ。

彼自身の生い立ちが大きく影響しているのは間違いないが、日本では政治や社会問題についてはっきりと意見を述べる芸能人やスポーツ選手はまだまだ少数だ。

コリシを取材した時は、プロテニス選手の大坂なおみが人種差別を批判する声をあげていた時期でもあった。「Black Lives Matter（黒人の命も大切だ）」運動が広がり、大坂の発言を称賛する声があがった一方で、日本国内では「スポーツ選手は競技に集中していればいい」という意見もあった。だから、信念を持ってはっきりと答える彼の姿は、新鮮だった。

「いまの夢は何？」という質問に対して、「私たちの財団がしているような活動が、必要ではなくなる日をつくることです」との答えは少し意外なものだった。選手としての夢を聞いていているつもりだったが、新型コロナウイルスの流行でラグビーの試合が中断され、支援を必要とする人が増えた時期でもあり、そうした思いが強くなったのかもしれない。

そして、苦難を乗り越えて栄冠をつかんだ自身の歩みを称賛されることへの複雑な思いも感じさせた。彼が言うように、私たち日本に住む多くの人が当たり前だと思っている、ご飯を食べ、学校に行き、仕事をするということができない人々が、南アフリカではいまも多く存在している。

新型コロナウイルスの脅威によって、貧困で苦しむ人は南アフリカだけでなく、世界中で増加傾向にある。世界銀行は1日1・9ドル（約200円）未満で暮らす「極度の貧困層」が7億人を超えるとの推計を発表した。

ロンドン大学キングスカレッジ校の教授、アンディ・サムナーは「新型コロナによる経済的な影響は、あまりにも深刻だ。それはまるで、貧困の津波のように見える」と警鐘（けいしょう）を鳴らした。

2020年10月3日。ケープタウンのスタジアムで開かれた代表選考試合で、コリシは主将としてチームを率いた。新型コロナウイルスの影響で長期にわたってリーグ戦が中断し、この試合も無観客試合となった。

29歳になり、円熟味を帯びる年齢にさしかかったコリシは、後半にトライを決めるなど、25―9の勝利に貢献。「試合の再開が待ち遠しい」とインタビューで語っていた彼は、負傷明けとは思えないプレーで存在感を見せた。

コロナ禍が続くこの国において、国民を団結させる力を持ったラグビーというスポーツの再開は、多くの人々の心に灯をともしたに違いない。

＊敬称略。原則として登場人物の年齢は取材当時のものを記しました。
本文中の南アフリカの通貨ランドは、当時のレートで円に換算しています。

おわりに

２０２０年８月29日、私は３年あまり過ごした南アフリカでの駐在生活を終えた。新型コロナウイルスの流行が続き、国際線の定期便が停止されていたため、一部の航空会社だけに認められた臨時便を利用するしかなかった。

マスクを二重にし、フェイスシールドも着けて飛行機に乗る経験は初めてだった。成田空港近くにある自主隔離場所のホテルに着いたのは、南アフリカの自宅を出てから36時間後。いつもの倍近くかかっていた。

赴任した当初は、こんなにも後ろ髪を引かれる思いになろうとは考えもしなかった。現地での生活や仕事にも慣れ、時間をかけて興味のあるテーマの取材・執筆に取りかかろうと思っていた矢先、世界各国を襲った感染症によってその思惑（おもわく）がもろくも崩れたからだ。

南アフリカ国外はもちろん、国内での取材もより一層難しくなり、やり残した構想ばかりが残った。

「達成感で満たされるより、心残りがあるくらいがちょうどいいかもしれない。また行きたいと思えるしね」。知人にそう言われて、少しだけ救われた。

南アフリカ政府は同じ年の10月から国際線の定期便運航を再開したものの、クリスマスを前にして感染の第2波が到来し、対策に追われた。ラグビー南アフリカ代表のシヤ・コリシの妻や子どもたちも年末年始に感染が判明。経済への影響は大きく、失業や犯罪、格差といった問題は今後ますます深刻になる恐れがある。政治家の汚職や権力争いもやみそうにない。

私は赴任中、他のアフリカ48ヵ国の取材も担当しながら、この国で起きた日々の出来事や選挙戦、スポーツ、文化、観光について幅広く執筆してきた。いま振り返ると、記事の半分以上は「暗いニュース」だった。そんな中で、代表チームが優勝を果たしたワールドカップの取材は、「明るい話題」として最も記憶に残るものになった。

この国の未来について予見するのは難しい。暗闇に迷いこんでしまうかもしれない。ただ、今後の国造りの中心を担うのは、コリシのようなアパルトヘイト時代を知らない世代になるのは確かだ。

折に触れて、私に抑圧された時代の経験を聞かせてくれた写真家のビクター・マトム

（61）は、「すべての子どもに教育を受けてもらうことが必要だ。いまは中退する子もいるし、麻薬におぼれる子もいる。子どものエネルギーをいい方向に持って行けるかどうかが、この国の将来の鍵を握っている」と繰り返していた。

アパルトヘイト撤廃を目指して苦難を長年味わったネルソン・マンデラは、「希望は強力な武器である。世界のどんな権力も、あなたから希望を奪い取ることはできない」との言葉を残した。だからこそ、この本では前を向いて懸命に生きる人々の声も記してきた。

日本という遠い異国の地から来た私のつたない英語に付き合い、話を聞かせてくれたすべての人に深く感謝し、お礼を申し上げます。

石原（いしはら） 孝（たかし）

●参考文献（本文で引用するなど、特に参考にしたものを記載）

アレックス・ボレイン『国家の仮面が剥がされるとき――南アフリカ「真実和解委員会」の記録』下村則夫訳、第三書館、２００８年

伊藤正孝『南ア共和国の内幕――アパルトヘイトの終焉まで』中公新書、１９７１年

エドガール・H・ブルーケス『アパルトヘイト――文書・記録による現代南アフリカの研究』鈴木二郎訳、未来社、１９７４年

国際連合広報センター『アパルトヘイト――その実体と国連の行動』１９６９年

白戸圭一『ルポ資源大陸アフリカ――暴力が結ぶ貧困と繁栄』朝日新聞出版、２０１２年

ネルソン・マンデラ『自由への長い道――ネルソン・マンデラ自伝（上・下）』東江一紀訳、NHK出版、１９９６年

ネルソン・マンデラ『ネルソン・マンデラ――未来を変える言葉』長田雅子訳、明石書店、２０１４年

平野克己『南アフリカの衝撃』日本経済新聞出版社、２００９年

藤井雄一郎、藪木宏之『あの感動と勇気が甦ってくるラグビー日本代表ONE TEAMの軌

跡』伊藤芳明 文・構成、講談社、２０２０年
峯陽一『南アフリカ――「虹の国」への歩み』岩波新書、１９９６年
峯陽一（編著）『南アフリカを知るための60章』明石書店、２０１０年
Carien du Plessis, Martin Plaut, *UNDERSTANDING SOUTH AFRICA*, 2020, Jakana Media
Edited by David Francis, Imraan Valodia, Edward Webster, *Inequality Studies from the Global South*, 2020, Wits University Press
Edited by Raymond Parsons, *RECESSION, RECOVERY AND REFORM South Africa after Covid-19*, 2020, Jakana Media
Edward Griffiths, *ONE TEAM ONE COUNTRY-THE GREATEST YEAR OF SPRINGBOK RUGBY*, 1996, Viking
John Carlin, *INVICTUS-NELSON MANDELA AND THE GAME THAT MADE A NATION*, 2008, Penguin Group
他に、朝日新聞、ラグビーマガジン、英ＢＢＣ、ロイター通信、Ｓｐｏｒｔ24など南アフリカの地元メディアの各種記事も参照

著者紹介

朝日新聞国際報道部記者。

1981年、兵庫県に生まれる。

ロンドン大学東洋・アフリカ研究学院修士課程修了。2017年8月〜2020年8月まで朝日新聞ヨハネスブルク支局長として、アフリカのサブサハラ49ヵ国の取材を担当。

著書には『堕ちた英雄「独裁者」ムガベの37年』（集英社新書）がある。

コリシの言葉
――南ア代表黒人初の主将、ワンチームの魂

二〇二一年三月六日　第一刷発行

著者　石原　孝
発行者　古屋信吾
発行所　株式会社さくら舎　http://www.sakurasha.com
東京都千代田区富士見一-二-一一　〒一〇二-〇〇七一
電話　営業　〇三-五二一一-六五三三　FAX　〇三-五二一一-六四八一
編集　〇三-五二一一-六四八〇
振替　〇〇一九〇-八-四〇二〇六〇

装丁　石間　淳
写真　朝日新聞社
印刷・製本　中央精版印刷株式会社

ISBN978-4-86581-285-5